101 NATUURLIJKE REIZEN

101

NATUURLIJKE REIZEN

KOSMOS

Kosmos uitgevers, Utrecht/Antwerpen

KOSMOS

www.kosmosuitgevers.nl

Volg ons op Twitter: @Kosmosuitgevers

Oorspronkelijke titel: *101 Great Outdoor Getaways*
Oorspronkelijke uitgever: Bounty Books, imprint van Octopus
Publishing Group Limited
© 2012 Octopus Publishing Group Limited
© 2012 Kosmos Uitgevers, Utrecht/Antwerpen
Vertaling: Peter Beemsterboer en Theo Gaasbeek
Redactie en productie: Imago Mediabuilders, Amersfoort

Een deel van de teksten in dit boek is eerder in het Nederlands
verschenen in *501 Eilanden, 501 Wereldplekken, 501
Natuurwonderen, 101 Romantische reizen.*

ISBN 978 90 215 5335 1
NUR 500

Inhoud

Introductie

Moeder aarde heeft het zwaar in haar strijd met explosieve bevolkingsaanwas, snelle industrialisatie en wereldwijde vervuiling die zelfs het voortbestaan van de mensheid bedreigt. De meeste mensen in ontwikkelde landen zijn veroordeeld tot een leven in uitgestrekte stedelijke gebieden en voor velen van hen wordt de dagelijkse druk die dit met zich brengt met het jaar moeilijker te dragen. Soms, peinzend over de zoveelste lange rij voor de kassa, eindeloze files en uitpuilende forensentreinen, is de verleiding groot om te denken dat ons onstuitbare streven naar vooruitgang een te hoge wissel trekt op onze kwaliteit van leven. En het besef van de schade die we toebrengen aan een leefomgeving waarvan we allemaal afhankelijk zijn, is al even alarmerend. Het drijft politici overal ter wereld tot het te elfder ure opstellen van groene beleidsplannen (soms ook ten uitvoer gebracht), die de groeiende vervuiling en de uitputting van grondstoffen moeten stuiten voordat het te laat is.

Geconfronteerd met zoveel alarmerende berichten, gaan we soms maar wat gemakkelijk voorbij aan het allergrootste lichtpunt. Ondanks onze enorme inspanningen om de natuur te vernietigen, is diezelfde natuur een werkelijk magisch oord. Van maagdelijke eilanden in azuurblauwe zeeën tot met sneeuw bedekte bergtoppen, van dichte regenwouden tot weidse Afrikaanse vlakten, van ongetemde wildernis tot zorgvuldig geconserveerde nationale parken, van gletsjers tot vulkanen. In dit boek worden enkele van de mooiste gebieden die dit onderschrijven voor het voetlicht gebracht. Gebieden die zo speciaal zijn dat ze balsem voor onze ziel

zijn, terwijl ze er ons tegelijkertijd aan herinneren wat we dreigen te verliezen. Maar vergeet dat voor even en geniet gewoon van het lezen over de meest overweldigende plaatsen ter wereld. Of nog beter, plan prachtige tochten, waarin je deze adembenemende natuurwonderen met eigen ogen kunt zien en ten volle beleven.

Door op zoek te gaan naar ontzagwekkende oorden en opwindende natuur, kunnen avontuurlijke reizigers die uit zijn op veel meer dan een strandvakantie, bijdragen aan het beschermen van datgene waarvoor ze zich zoveel moeite getroosten om het te vinden. Ecotoerisme is namelijk een krachtig middel om een kwetsbare leefomgeving of bedreigde diersoorten die anders gevaar lopen te steunen en beschermen. Door te zorgen voor inkomsten voor landen en regionale gemeenschappen die snakken naar middelen van bestaan, kunnen bezoekers een duurzame ontwikkeling stimuleren waarmee ze helpen de kostbare – en verdwijnende – natuurlijke parels van onze planeet te beschermen en behoeden voor verder verval. Zelfs lezen en praten over de inspirerende plaatsen die in dit boek worden beschreven, stimuleert een groeiend besef van de noodzaak om deze parels te beschermen voordat het te laat is. Zullen alle adembenemende plaatsen in dit boek – en vergelijkbare andere – over honderd jaar nog even onbedorven zijn?

Niemand kan die vraag beantwoorden, maar een ding is zeker: nu zijn ze er nog en wij bofkonten hebben nog de kans om ze op waarde te schatten en ervan te genieten – in gedachten of in levenden lijve.

AFRIKA

Nationaal park Waza

Het nationale park Waza is een groot, afgelegen gebied in het uiterste noorden van Kameroen. Het ligt aan de rand van de Sahel, tussen Tsjaad en Nigeria. Deze vlaktes begroeid met acacia liggen ten zuiden van het Tsjaadmeer en zijn slechts toegankelijk van medio november tot medio juni, omdat ze 's zomers onder water staan.

Het park, dat een gebied van 170.000 ha beslaat, werd in 1982 uitgeroepen tot biosfeerreservaat van de Unesco. Het omvat bosgebied, grote delen met wuivende graslanden en seizoensmoerassen, waardoor het zowel bos- als weidedieren herbergt, naast stand- en trekvogels.

Dit is waarschijnlijk de beste plek in Midden-Afrika om wild te observeren. In het late voorjaar, als er nog maar een paar drinkplaatsen zijn, is een aanhoudende parade van prachtige dieren op zoek naar water en schaduw en vindt dan de hoognodige verlichting van de zinderende zon.

De vlaktes wemelen van de beesten – giraffes, antilopen, hyena's, cheeta's, boskatten, wrattenzwijnen, olifanten en leeuwen. Talloze vogels kunnen worden waargenomen, omdat zowel Afrikaanse als Europese trekvogels door dit leefgebied worden aangetrokken. Er zijn hier zo'n 397 soorten waargenomen, waaronder roofvogels zoals vale gieren, adelaars, haviken en buizerds, zwermen kraanvogels, ooievaars en zilverreigers, en vele soorten eenden en waadvogels.

Natuurlijk heeft het nationale park Waza te lijden onder stroperij. Helaas zijn er maar weinig bewakers, waardoor het onmogelijk is het gehele gebied in de gaten te houden, zelfs met het extra geld van het WNF en het IUCN Nederlands Comité. Bezoeken kan in het kader van een georganiseerde rondreis of je gaat in een eigen terreinwagen. Welk deel je ook bereist, je ziet een enorme hoeveelheid prachtige dieren in deze gulden vlaktes rondzwerven.

WAT IS HET?
Een groot gebied met vlaktes en bossen, waar talloze vogels en andere dieren kunnen worden geobserveerd.
HOE KOM JE ER?
Met een terreinwagen vanuit Maroua.
DE BESTE TIJD
Medio november tot medio juni, maar april/mei is de allerbeste tijd om leeuwen te zien.
DICHTSTBIJGELEGEN STAD
Mokolo (160 km).
WAT JE MOET WETEN
Bezoekers moeten een gids nemen en mogen niet uit de auto.

Giraffen steken de weg over in het nationale park Waza.

11

Nationaal park Niokolo-Koba

WAT IS HET?
Een van de belangrijke wildreservaten van West-Afrika.
HOE KOM JE ER?
Per auto vanuit Tambacounda via Kedougou en Dar Salam.
DE BESTE TIJD
Maart tot mei (juni tot november gesloten).
DICHTSTBIJGELEGEN STAD
Tambacounda (140 km).
MAG JE NIET MISSEN
De chimpansees rond de Assirikberg.
WAT JE MOET WETEN
Er wordt toegang geheven. Je moet in de auto blijven, lopen door het park is verboden.

Het nationale park Niokolo-Koba, in het zuidoosten van Senegal, is een van de grootste nationale parken van West-Afrika en is beroemd om de vele wildsoorten. Het park beslaat een gebied van ruim 9000 km² en huisvest ruim 80 verschillende zoogdiersoorten, waaronder leeuwen, luipaarden, olifanten, buffels, nijlpaarden en hyena's, naast 30 soorten reptielen en meer dan 300 verschillende vogelsoorten.

Een luipaard in het nationale park Niokolo-Koba.

Het landschap in het hele park is over het algemeen plat en de gevarieerde vegetatie omvat savanne, bos, meren en moerassen. Het park is goed bevloeid doordat de rivier de Gambia erdoorheen stroomt met haar zijrivieren de Niokolo-Koba en de Koulountou.

Het park, in 1981 op de Werelderfgoedlijst van de Unesco geplaatst, is ook een internationaal biosfeerreservaat. Tegenwoordig worden veel grote zoogdieren bedreigd door stropers: het aantal luipaarden en olifanten – de enige kudden die nog in Senegal bestaan – is de afgelopen jaren drastisch geslonken. De toekomst van het park wordt verder bedreigd door verscheidene projecten voor dammen en wegen.

Een groene meerkat met haar jong.

Hoewel meer toeristen de laatste tijd het park bezoeken, zijn hun aantallen vrij bescheiden doordat het park betrekkelijk afgelegen ligt en de afstand van de hoofdstad Dakar fors is. In Niokolo-Koba zul je, zoals in zoveel wildreservaten, vrijwel zeker beesten zoals antiloop en buffel zien, maar het is absoluut niet gegarandeerd dat je leeuwen of olifanten zult zien.

13

Simien Mountains National Park

Eeuwenlange erosie heeft een spectaculair landschap gecreëerd. Het Simien Mountains National Park, dat op de Unesco-Werelderfgoedlijst staat, is een van bergstroompjes en ravijnen doorsneden rotsmassief, met hellingen die overgaan in grasland en brede valleien. De top van het gebergte, Ras Dashen, is met 4620 m het hoogste punt van Ethiopië en de op drie na de hoogste top van het Afrikaanse continent.

WAT IS HET?
Een park op de Werelderfgoedlijst met prachtige natuur.

HOE KOM JE ER?
Bussen rijden tussen Shire/Aksum en de Gondarpas en komen door Debareq, de belangrijkste plaats in het nationale park. Vanuit Sire is het 5-7 uur naar Debareq; vanuit Gondor ca. 3 uur.

DE BESTE TIJD
Het regenseizoen is tussen juni en midden september. De beste tijd voor wandel- en trektochten is tussen oktober en december.

DICHTSTBIJGELEGEN STAD
Debareq in het park zelf, op 101 km afstand van Gondar.

WAT JE MOET WETEN
Zorg dat je vervoer regelt voordat je het park ingaat. In het park kun je niet bellen en kun je dus niet het hoofdkantoor vragen om een terreinwagen.

Jonge geladabavianen kruipen tegen elkaar aan in Simien National Park.

14

Het park heeft drie botanische regio's; de voor landbouw en veeteelt geschikt gemaakte lagere hellingen, de beboste alpiene strook en de hoger gelegen bergweiden waar zwenkgrassen en heidesoorten, prachtige fakkellelies en de reuzenlobelia's groeien.

Niet alleen de vergezichten zijn adembenemend, het park huist ook een paar extreem zeldzame dieren, zoals de gelada- of mantelbavianen met hun opvallende rode borst (gelada = bloedend hart), de zeer schuwe Simienvos, Ethiopische wolven en grote roofvogels, waaronder de lammergier. Het park is oorspronkelijk ontstaan om 1000 waliasteenbokken te beschermen, een soort die nergens anders ter wereld voorkomt.

Het park is goed bereikbaar vanaf Debareq, 101 km van Gondar. Wandelen is eenvoudig vanwege een netwerk van wandelpaden waar de lokale bevolking ook gebruik van maakt. Uitrusting, proviand en gidsen zijn beschikbaar. Hoewel het park niet ver van de evenaar ligt zijn de hoogste toppen van het Simiengebergte vaak bedekt met sneeuw en ijs en vriest het 's nachts regelmatig – wees daar dus op voorbereid.

Volgende pagina's: Het uitzicht richting de noordelijke helling bij Sankaber.

WAT IS HET?
Het leefgebied van zo'n
2 miljoen flamingo's.
HOE KOM JE ER?
Per vliegtuig en/of auto
vanuit Nairobi via Nakuru.
DE BESTE TIJD
Juli tot februari.
**DICHTSTBIJGELEGEN
STAD**
Nakuru (5 km).
MAG JE NIET MISSEN
De vele dieren (met name
de neushoorns) en de flora
van het nationale park.
WAT JE MOET WETEN
Het beste uitzichtpunt
om de flamingo's te zien
is Baboon Cliff. Nakuru
betekent 'stof' of 'stoffige
plaats' in de taal van de
Masaï.

Het Nakurumeer

Het Nakurumeer ligt een kleine 160 km van de hoofdstad van Kenia, Nairobi, en is wereldberoemd om de
gigantische hoeveelheden flamingo's die aan de oevers
leven. De buitengewone aanblik van de voortdurend
bewegende roze massa van vaak ruim een miljoen
flamingo's op het meer, is letterlijk adembenemend.

De flamingo's worden aangetrokken door de algen
die gedijen in het ondiepe, warme en sterk basische
water van het meer. Geleerden schatten dat de
flamingo's zo'n 250.000 kg algen per hectare per jaar
eten. In het droge seizoen schrompelt de omvang van
het meer tot niet veel meer dan 5 km^2, maar de regens
doen het uitdijen tot ongeveer 45 km^2, en dc

flamingopopulaties op het meer variëren dienovereen-
komstig. Pelikanen en aalscholvers komen hier ook
veel voor en er zijn ongeveer 400 soorten standvogels
op het meer en in het omringende park.

In recente jaren is de flamingopopulatie op
alarmerende wijze verminderd, deels als gevolg van
intensieve landbouw in de omgeving en het
toenemend watergebruik van het nabijgelegen Nakuru,
de op drie na grootste stad van Kenia.

Het meer en zijn omgeving werden in 1960
uitgeroepen tot nationaal park. Het werd later
uitgebreid tot zo'n 190 km², waarbij het ook werd
omheind, vooral om de populatie Rothschildgiraffes en
de zwarte en witte neushoorns die in het park zijn
ingevoerd, te beschermen. Het is het enige geheel
omheinde nationale park van Kenia.

*Een groep flamingo's in
het ondiepe water van
het Nakurumeer.*

*Volgende pagina's:
Zebra's onder aan de
Kilimanjaro.*

19

Amboseli National Reserve

Amboseli National Reserve, vroeger bekend als Amboseli National Park, wordt sinds september 2005 geleid door de Olkejiado County Council in plaats van door de Kenya Wildlife Service. Deze verandering betekent dat de inkomsten van het park nu ten goede komen aan de lokale Masai-gemeenschappen.

Amboseli is een van Kenia's populairste parken en is zowel vermaard om zijn grote olifantenpopulatie – er zijn er ongeveer 650 – als om zijn grote kuddes wildebeesten, zebra's en impala's. Met wat geluk zijn de bedreigde zwarte neushoorn en de moeilijk te vinden jachtluipaard te zien. Op de achtergrond wordt het park gedomineerd door de met sneeuw bedekte top van de Kilimanjaro, slechts 40 km verder en majestueus boven de wolken uit rijzend.

Het park werd in 1974 opgezet als een internatio-naal biosfeerreservaat en nationaal park van slechts 392 km², maar ondanks het beperkte oppervlak en het fragiele ecosysteem, slaagt het erin een grote verscheidenheid aan zoogdieren te herbergen. Men kan er meer dan vijftig van de grotere zoogdiersoorten vinden en meer dan 400 soorten vogels.

Met zijn ruige landschap en de romantische, mystieke atmosfeer die de grote

berg over Amboseli legt, is het niet verwonderlijk dat
het park de inspiratiebron vormde voor de
jachtverhalen van Ernest Hemingway en Robert Ruark.

De vulkanische as van de laatste uitbarsting van de
Kilimanjaro, duizenden jaren geleden, geeft veel
gebieden in het park een wat stoffige aanblik, terwijl
een continue aanvoer van smeltwater via ondergrondse
stromen voor een sterk contrast van sappig groene
gebieden zorgt. De bronnen, drassige gebieden en
moerassen verschaffen de dieren een toevluchtsoord.
Let op de drooggevallen meerbedding die luchtspiege
lingen veroorzaakt in de zinderende hitte, en mis de
vergezichten vanaf Observation Hill niet!

Een kudde Afrikaanse
olifanten.

Links: Luchtfoto van
olifanten die het park
doorkruisen.

Volgende pagina's:
Zebra's aan de voet van
de Kilimanjaro.

21

De tsingy van Bemaraha

WAT IS HET?
Een reservaat met een uniek 'woud' van kalkstenen spitsen.
HOE KOM JE ER?
Per vliegtuig vanuit Antananarivo naar Antsalova, en dan met een terreinwagen verder.
DE BESTE TIJD
Juli tot oktober.
DICHTSTBIJGELEGEN STAD
Morondava (225 km).
MAG JE NIET MISSEN
De oude begraafplaatsen in de Manambolokloof; de lanen met baobabs bij Morondava.
WAT JE MOET WETEN
Er zijn geen voorzieningen in het reservaat. Het dichtstbijgelegen hotel staat 150 km verderop. Reizen over de weg gaat langzaam en is moeilijk.

Het grootste deel van dit reservaat, doorsneden met canyons en kloven, dat 80 km naar het binnenland ligt vanaf de westkust van Madagaskar, bestaat uit een grote massa scherp gerande kalkstenen pijlers – 'tsingy' in het Malagasi – waarbij sommige hoogten van 50 m bereiken. In 1927 werd dit al een natuurreservaat en dit buitengewone minerale 'woud' kwam in 1990 op de Unesco-werelderfgoedlijst maar werd in 1998 pas voor het publiek opengesteld.

Deze bijzondere rotsformaties, die alleen in Madagaskar voorkomen, ontstonden in de loop van de eeuwen door erosie door zuur regenwater, dat langzaam maar zeker de stenen van een kalkplateau oploste. De spitsen staan zo dicht bij elkaar dat ze het hele gebied vrijwel ondoordringbaar maken voor de mens. Er wonen wel heel wat lemuren, wier beweeglijkheid geenszins wordt beperkt door de messcherpe stenen in hun omgeving.

De oostgrens van het reservaat wordt gevormd door het Bemarahaklif, dat spectaculair 400 m boven het dal van de Manambolo uitrijst. Het noordelijk deel, gesloten voor het publiek, is een mengeling van glooiende heuvels en kalksteenrotsen.

Madagaskar staat bekend om de unieke diversiteit aan wild – bijna 90 procent van de soorten die op dit mooie eiland, het op drie na grootste ter wereld, worden gevonden, komt nergens anders voor – en de Tsingy van Bemaraha zelf vormen het enige bekende leefgebied voor een aantal zeldzame planten en dieren, waarvan sommige bedreigd worden. Er zijn talloze bronnen aan de voet van de spitsen en de Tsingy vormen een belangrijk waterreservoir voor de omgeving, met name het westen.

De tsingy van Bemaraha vanuit de lucht gezien.

Rwanda – Parc National des Volcans

Als de plaats waar Dian Fossey, de eminente primatologe, jarenlang de habitat en gewoonten van de zeldzame berggorilla's bestudeerde, is het Parc National des Volcans echt een gebied dat je gezien moet hebben.

In het hart van Midden-Afrika, op de steile, dichtbegroeide hellingen van Noordwest-Rwanda, ontmoeten de diverse ecosystemen van het stroomgebied van de Congo die van de westelijke Great Rift Valley, waardoor een rijke biodiversiteit is ontstaan die nergens anders op het continent voorkomt.

Als je loopt door het altijdgroene woud, de bamboebossen en het open grasland aan de voet van het Virungasgebergte – dat zes vulkanen bevat –, en door rivieren en beekjes waadt die uitstromen in de Nijl, gaat de tocht omhoog, omhoog en verder omhoog naar het gebied waar het regenwoud samenkomt met de rest van dit groene tropische paradijs. Hier bevind je je in het hart van het Parc National des Volcans.

Ongeveer 4570 m vanaf het begin van het woud, is dit het leefgebied van de met uitsterven bedreigde berggorilla. Terwijl je je gids volgt op weg naar de gorilla's, ben je omringd door vogelgeluiden – er zijn hier meer dan 670 soorten – en het krijsen en spookachtige lawaai van apen in de boomtoppen. Soms bespeur je een Afrikaanse buffel of olifant. Je zult merken dat je vanzelf je adem inhoudt terwijl je zo stil mogelijk over de gevallen bladeren loopt, in de hoop een glimp op te vangen van een zilverrug, de leider van een groep gorilla's.

Deze reusachtige dieren wegen drie keer zoveel als een gemiddelde man, maar zijn verrassend tolerant tegen hun menselijke gasten, als deze maar op afstand blijven en geen lawaai maken. Een ontmoeting met een berggorilla is een gebeurtenis die je nooit meer vergeet!

WAT IS HET?
Een nationaal park dat vermaard is omdat Dian Fossey er de berggorillapopulatie bestudeerde.
Het is het woongebied van circa 400 berggorilla's.

HOE KOM JE ER?
Vanaf de hoofdstad van Rwanda, Kigali, is het ongeveer 90 minuten rijden met de auto naar Ruhengeri.

DE BESTE TIJD
Berggorilla's kun je het gehele jaar zien, maar de beste tijd is het droge seizoen tussen juni en september.

WAT JE MOET WETEN
Als je de gorilla's wilt bezoeken, moet je transport regelen vanaf Ruhengeri naar de grens van het park, waar je de rest van de tocht met de gids te voet gaat afleggen. Ter bescherming van de gorilla's krijgt maar een beperkt aantal mensen per dag toegang. Ze moeten zich in de buurt van de gorilla's strikt aan de regels houden.
Het gebied is ook bekend als Het 'Land van Duizend Heuvels'.

Een familie berggorilla's.

27

Ngorongoro Conservation Area

De Ngorongoro Conservation Area of NCA is gelegen rond de ingestorte krater van een oude vulkaan, in het zuidelijk deel van de Grote Afrikaanse Slenk, en vormt een verbijsterend mooi landschap met een fantastisch scala aan wild. Er zijn flinke populaties leeuwen en cheeta's, en ook zijn er gnoes, zebra's, elanden, Grant- en Thomsongazellen, bergrietbokken, nijlpaarden, zwarte neushoorns, hartenbeesten, olifanten, gevlekte hyena's, jakhalzen en buffels. Tweemaal per jaar komen er miljoenen trekdieren door het park, op weg naar of van de Serengeti, achter de regens aan die verse weidegrond doen ontstaan. Ruim 550 vogelsoorten zijn in het park waargenomen, met de flamingo's van het Magadimeer waarschijnlijk als meest speciale.

De enorme krater ontstond zo'n twee miljoen jaar geleden toen de vulkaan krachtig uitbarstte en de magmakamer instortte waardoor de grootste ongeschonden caldeira ter wereld ontstond, met een diameter van 22,5 km en een diepte van 610 m.

In de rest van het park vinden we talloze bergen, waaronder verscheidene actieve vulkanen, bossen, meren en weidse vlaktes. In het noorden ligt de heilige berg van de Masaï, de Oldoinya Lengaï, de Olduvaikloof,

waar enkele van de vroegste resten van de moderne mens (*Homo habilis*) en van de vroege mensachtigen (*Paranthropus boisei*) werden gevonden, en het Natronmeer, een alkalimeer waar duizenden roze flamingo's broeden op moddereilandjes.

Een bezoek aan dit afgelegen park, met het indrukwekkende landschap en volop wild, is een must voor iedere wildliefhebber.

Zebra- en wildebeest-kuddes in de Ngorongoro-krater.

Nationaal gorillapark Mgahinga

Ondanks het feit dat Mgahinga met 33,7 km² het
kleinste nationale park van Oeganda is, is het wel een
van de belangrijkste. Het grenst aan het nationale

vulkaanpark van Rwanda en het nationale park Virunga van Congo. Het Virungamassief ligt op de grens tussen drie landen en bestaat uit een reeks actieve en uitgedoofde vulkanen, waarvan er drie (allemaal gedoofd) in Mgahinga kunnen worden beklommen.

Mgahinga is beroemd om de kleine populatie bedreigde berggorilla's, waaronder een familie die negen dieren omvat (met twee zilverruggen en drie volwassen wijfjes) die gewend zijn aan publiek. Deze familie trekt vaak over de grens naar Rwanda en daardoor kunnen gorillasafari's pas kort van tevoren worden bevestigd. Groepen uit de naburige landen bezoeken de streek soms een paar maanden.

Het tropische regenwoud dat de lagere hellingen bedekt, is wat uitgedund ten behoeve van de land-bouw, maar hogerop zijn er nog uitgebreide bamboe-en bergbossen. Mannelijke berggorilla's, over het algemeen vegetariërs, wegen zo'n 215 kg en kunnen dagelijks 35-40 kg planten eten. Walstro maakt een groot deel van hun dieet uit, maar ze eten ook bamboescheuten en trekken naar de bamboebossen als daar nieuwe groei is. Ook klimmen ze omhoog naar de subalpiene niveaus om daar een andere delicatesse te zoeken: de zachte kern van het reuzenkruiskruid.

Berggorilla's zijn vrijwel uitgestorven. Naar aange-nomen wordt zijn er nog 650 tot 700 dieren op aarde, en die leven in deze drie landen. Een van de twee ondersoorten heeft langer en donkerder haar dan de andere, waardoor ze op een koelere hoogte kunnen leven. Deze betoverende en fascinerende beesten worden bedreigd door gebrek aan leefgebied, stroperij en ziekten, met name menselijke zoals verkoudheid en griep, waarvoor zij niet immuun zijn.

WAT IS HET?
Het kleinste nationale park van Oeganda, het woongebied van de berggorilla.
HOE KOM JE ER?
Per auto vanuit Kampala, of per vliegtuig naar Kisoro en dan per auto.
DE BESTE TIJD
Juni, juli, augustus of januari.
DICHTSTBIJGELEGEN STAD
Kisoro (10 km).
MAG JE NIET MISSEN
Het uitzicht vanaf de top van de Muhavura.
WAT JE MOET WETEN
Vergunningen voor het bekijken van gorilla's zijn zeer populair, dus je moet je reis met het oog daarop enkele maanden van tevoren organiseren.

Zilverrug-berggorilla.

Cape Cross Seal Reserve

De Cape Fur Seal (Kaapse pels-rob) is de grootste van de negen soorten pelsrobben, maar in feite is hij een ondersoort van de zeeleeuw. Langs de kust van Namibië en Zuid-Afrika leven in 24 kolonies minstens 650.000 pelsrobben. Het Cape Cross Seal Reserve in Namibië is met zijn 80.000 tot 100.000 bewoners het grootste broedgebied.

De stieren (mannetjes) komen in oktober in de kolonie aan en markeren hun territorium dat ze vurig zullen verdedigen. De zwangere koeien (vrouwtjes) arriveren gewoonlijk in november. Elk ervan werpt een enkel kalf en is binnen een week weer vrucht-baar – waarna ze 'tochtig' worden en dus klaar zijn om te paren.

Een stier, die tussen de 5 en 25 koeien onder zijn hoede heeft, verliest in ieder paarseizoen bij het verdedigen van zijn territorium tegen andere stieren een ongelooflijk groot deel van zijn oorspronkelijke 360 kg gewicht. De jonge robben worden pikzwart geboren en wegen zo'n 5 tot 7 kg. Het zogen begint meteen na de geboorte en wordt bijna een jaar lang volgehouden, maar na ongeveer vijf maanden wordt de moedermelk aangevuld met vis. De moeders blijven naar zee gaan om zich te voeden en gedurende die tijd laten ze de jongen op het land. De alleen-gelaten jongen zijn daar kwetsbaar en niet zelden vallen ze ten prooi aan zwartrugjakhalzen of bruine

Kaapse pelsrobben.

hyena's. Een op de vier in de kolonie geboren jongen overleven het zuigelingenschap niet.

De warmbloedige pelsrobben hebben het vermogen het water van de ijskoude Benguelastroom te weerstaan dank zij hun vele lagen blubber (spek) en hun speciale, dubbelgelaagde bontjas. De vissen waarop ze leven worden niet commercieel gevangen, maar toch menen veel beroepsvissers dat de robben een bedreiging voor hun vakgebied vormen.

Om het spektakel van zo'n enorm aantal van deze prachtige dieren in hun natuurlijke habitat mee te maken, is het beslist de moeite waard een dagtrip vanuit Henties Bay of Swakopmund te boeken.

33

iSimangalisa Wetland Park

Het iSimangalisa Wetland Park, voorheen bekend als Greater St. Lucia Wetland Park, aan de oostkust van KwaZulu-Natal is zonder twijfel het mooiste natuurreservaat in een land dat bol staat van het rijkste en meest opwindende wild ter wereld.

Wat het op twee na grootste beschermde gebied van Zuid-Afrika tot zo'n levende schatkist maakt, is het feit dat binnen zijn grenzen sprake is van een unieke combinatie van ecosystemen, van open zee tot rivierdelta, van zandduinen tot moerassen – en dat alles rond de glinsterende wateren van het St.-Luciameer.

De Indische Oceaan vormt de oostgrens van het park. Bultruggen en haaien zwemmen hier rond, evenals coelacanten, levende fossielen van 400 miljoen jaar geleden. Dichter bij de kust vind je de onderwaterpracht van Afrika's zuidelijkste koraalriffen, die daar zijn dankzij de opwarmende werking van de Agulhasstroom.

Meer naar het binnenland, voorbij de zandstranden waarop leder- en karetschildpadden hun eieren komen leggen, vinden we het grootste duinbossysteem ter wereld. Van de grotere zoogdieren die we hier aantreffen, zijn de rietbokken het talrijkst, maar er leven hier ook een paar zwarte neushoorns.

Verder naar het westen vinden we de glinsterende meren van het park, doorzichtige blauwe juweeltjes, getint met het roze en het wit van flamingo's en pelikanen.

Strand en beboste duinen bij Mabibi.

Ook vinden we hier zo'n 800 nijlpaarden. Een groot deel van de dag luieren ze in het water. Tegen de avond echter komen zij in grote kuddes aan land om op de oevers te grazen.

Nog talrijker zijn de Nijlkrokodillen. Voorzichtigheid is geboden rond deze formidabele roofdieren van 5 m lang, en het krokodillencentrum van St.-Lucia is de beste plek om de dieren van dichtbij te bekijken.

Het Greater St. Lucia Wetland Park beslaat zo'n 3280 km² en is ongetwijfeld een wonderland voor het wild. Geen wonder dat het in 1999 uitgeroepen werd tot werelderfgoed.

De Lapalala-wildernis

De Lapalala-wildernis ligt in het Unesco-biosfeerreservaat Waterberg in Limpopo, drieënhalf uur rijden vanaf Johannesburg. Ondanks de naam is Lapalala eigenlijk een particulier wildpark, dat tussen 1981 en 1999 ontstond door samenvoeging van 19 boerderijen. Momenteel beslaat het wildpark 360 km², maar er

Zwarte neushoorn.

zijn plannen om het park verder uit te breiden.

De Lapalala-wildernis wordt gekenmerkt door eindeloze vergezichten over hoogvlaktes en ruige heuvels, doorsneden door grillige ravijnen. De voornaamste vegetatie hier is het zogenoemde bushveld – grasland met hier en daar groepjes bomen en hoge struiken. Riviertjes en beekjes met een gezamenlijke lengte van 90 km bevloeien de streek, met als hoofdstroom de Palala, met heldere poeltjes en bulderende stroomversnellingen.

In dit grotendeels onaangetaste landschap kan de bezoeker het wild zien vanuit de stoel van een Land Rover of te voet met een gids. Er zijn buffels, nijlpaarden, krokodillen, zebra's, luipaarden, bavianen en vele soorten antilopen, naast 280 vogelsoorten.

Maar de grootste attractie van Lapalala wordt zonder twijfel gevormd door de zwarte en de witte neushoorn. Beide soorten, door de jacht vrijwel van de aardbodem verdwenen, konden alleen gered worden door de inspanning van natuurbeschermers als Clive Walker van Lapalala.

Zwarte en witte neushoorns kunnen gemakkelijk van elkaar worden onderscheiden – maar dat staat los van hun naam. De zwarte (*Diceros bicornis*) is de kleinere, met een gehaakte bovenlip, waarmee hij bladeren en scheuten plukt. De witte (*Cerototherium simum*) daarentegen heeft een hele brede bek, die gebruikt wordt om grote plukken gras te eten. Het was de onjuiste interpretatie van het woord 'wijd', dat in het Afrikaans klinkt als het Engelse 'white', die aanleiding gaf tot de verkeerde benaming 'witte neushoorn', terwijl hij in feite dezelfde kleur heeft als de zwarte.

Deze beide soorten op één dag van dichtbij zien, bezorgt de bezoeker een herinnering voor het leven en maakt Lapalala tot iets werkelijk bijzonders.

WAT IS HET?
Een particulier wildpark.
HOE KOM JE ER?
Per auto of bus vanuit Johannesburg.
DE BESTE TIJD
Het hele jaar.
DICHTSTBIJGELEGEN STAD
Vaalwater (50 km naar het zuidwesten).
MAG JE NIET MISSEN
Milieucentrum Waterberg, Melkrivier.
WAT JE MOET WETEN
Er wordt toegang geheven. Wildtochten en begeleide wandelingen moeten van tevoren worden geboekt.

Volgende pagina's: Een adembenemend uitzicht over de Lapalala-wildernis, met Malore Hill in de achtergrond.

Het Mala Mala-wildpark

Het Mala Mala-wildpark beslaat 160 km^2 in de provincie Mpumalanga. Het werd in 1927 in het leven geroepen en is het oudste wildpark van Zuid-Afrika. Ooit was het een jachtparadijs voor diegenen die de ambitie koesterden de 'big five' op hun naam te zetten, maar sinds 1964 is het enige schieten wat er is toegelaten dat met camera's door toeristen.

Een groot deel van Mala Mala is typisch Afrikaanse savanne, met een indrukwekkende hoeveelheid wild – de grootste soortenrijkdom waar dan ook in het werelddeel. En alsof dat niet genoeg is, heeft Mala Mala nog meer troeven die het tot een van de beste bestemmingen voor wildkijken ter wereld bestempelen.

Allereerst de omvang, waardoor bezoekers een rijk en gevarieerd leefgebied betreden. Ten tweede het feit dat het over een afstand van 19 km zonder hekken grenst aan het Krugerpark. Dit is voor het reservaat een groot voordeel. Ten derde is Mala Mala gezegend met de bron van de Sandrivier. Over zo'n 20 km stroomt deze rivier noord-zuid door het reservaat, waardoor grote kudden grazende dieren naar de oevers worden gelokt – plus de talloze roofdieren die op ze jagen.

Om de dieren vanuit het Krugerpark vrij toegang tot de rivier te bieden, staan alle kampen in Mala Mala op de westoever, in het hele reservaat wordt de bewoning en de invloed op het terrein tot het minimum beperkt.

Het resultaat van dit standvastige beleid is duidelijk te zien in de statistieken van het reservaat. Zo'n 335 dagen per jaar laten zich hier leeuw, luipaard, olifant, neushoorn en buffel zien. Dus als bezoekers althans één keer in hun leven de Afrikaanse 'grote vijf' willen zien, dan zal Mala Mala ze niet teleurstellen.

Bezoekers die in het reservaat verblijven, krijgen hun eigen persoonlijke gids en plaatselijke Shangaan-spoorzoekers. Deze experts kennen de streek en de bewoners als hun broekzak. En of ze zich nu verplaatsen in een open Land Rover of te voet – met een gewapende opzichter – overdag of 's nachts, deze gidsen garanderen een onvergetelijke ervaring, waarvan niet de minste een onvergelijkelijke kans is het beste van het Afrikaanse wild te fotograferen.

Een leeuw in het Mala Mala-wildpark, het oudste van Zuid-Afrika.

AMERIKA &
DE CARAÏBEN

Wood Buffalo National Park

Het nationale park Wood Buffalo is in 1922 opgericht om de grootste kudde wilde bizons van Noord-Amerika – zo'n 2500 dieren – te beschermen. Het ligt op de grens tussen de provincies Alberta en Northwest Territories, en kwam in 1983 op de Werelderfgoedlijst van de Unesco. Naast de bizons bevinden zich in het park ook de enige natuurlijke broedplekken van de ernstig bedreigde trompetkraanvogel.

Wood Buffalo is met 45.000 km^2 Canada's grootste nationale park. Je vindt er door brand aangetaste beboste hooglanden, een door ijs geërodeerd plateau, een enorme zoetwaterdelta, zoutvlakten en een paar modelvoorbeelden van karsttopografie in Noord-Amerika. Daarnaast maken de grootste ongerepte gras- en zeggevlakten van Noord-Amerika dit gebied ideaal voor bizons.

Dit park kent de langste traditie van oorspronkelijke bewoning van het land. Het wordt al bewoond sinds de gletsjers zich terugtrokken, het meest recent door de nomadische Micasew-Cree First Nation, waarvan enkele hier nog steeds vissen, jagen en vallen zetten. Hier heerst een klimaat van lange, koude winters en korte, warme zomers; alleen in de maanden juni, juli en augustus vriest het niet.

Er leven hier 47 zoogdiersoorten, waaronder kariboes, poolvossen, zwarte beren, elanden en, bevers, en 227 soorten vogels, waaronder de slechtvalk, witkopzeearend, Laplanduil en sneeuwuil. De bizons leven hier zonder menselijk ingrijpen; een van de weinige plekken ter wereld waar nog een echte jager-prooirelatie tussen wolven en bizons bestaat. Er leven ongeveer 140 trompetkraanvogels, waarvan veertig broedparen. De zorgvuldige bescherming van deze vogels binnen het park – en van hun overwinteringsplaatsen in Texas – hebben voorkomen dat ze zijn uitgestorven.

Het Wood Buffalo National Park in vogelvlucht.

Algonquin Provincial Park

WAT IS HET?
Een van Canada's grootste provinciale parken.

HOE KOM JE ER?
Het park ligt direct ten oosten van Muskoka in Ontario. Toegang voornamelijk via Highway 60, ten oosten van Huntsville.

DE BESTE TIJD
Van juli tot eind september.

DICHTSTBIJGELEGEN STAD
Deep River in de Ottawa Valley-regio van Oost-Ontario. Ten noordwesten ligt de stad North Bay.

MAG JE NIET MISSEN
Per kano een van de in totaal 1610 km lange tochten maken, wandelen over de 6 tot 88 km lange paden, mountainbiken, langlaufen, vissen of vogels kijken.

WAT JE MOET WETEN
Het was de inspiratiebron voor een groep toonaangevende Canadese landschapsschilders, The Group of Seven.

Het Algonquin Provincial Park in Ontario beslaat 7725 km^2 bos, meren en rivieren. Het ligt in een overgangsgebied met zowel loof- als naaldbomen; een divers landschap met ahorns, sparren, bevervijvers, meren en met wilde bloemen begroeide rotsen. Daardoor kun je hier een breed scala aan planten en dieren zien die je normaalgesproken niet in één gebied bij elkaar vindt.

Binnen de parkgrenzen leven 53 soorten zoogdieren, 272 vogelsoorten, 31 verschillende reptielen en amfibieën, 54 soorten vis en ruwweg 7000 insectensoorten! Daarnaast zijn hier meer dan 1000 plantensoorten en meer dan 1000 verschillende paddenstoelen te vinden.

Het woeste hoogland van Algonquin werd oorspronkelijk bewoond door aboriginals die leefden van de visvangst, de jacht en het plukken van bessen. Pas in de negentiende eeuw arriveerden er houthakkers uit Ottawa Valley; zij waren op zoek naar het hout van de weymouthden waar door de groeiende Britse gemeenschap steeds meer vraag naar was.

Algonquin Provincial Park is in 1893 opgericht als een natuurreservaat om de hoofdstromen van de vijf belangrijke rivieren te beschermen. Uiteindelijk werd dit majestueuze gebied 'ontdekt' door avontuurlijke vissers, vervolgens door Tom Thomson en de beroemde Canadese landschapsschilders – de Group of Seven. Van over de hele wereld komen mensen om de echo's van wolvengehuil te horen, maar ook om een glimp op te vangen van de talrijke elanden die het park bevolken.

Rijp in het Algonquin Provincial Park.

Gros Morne National Park

WAT IS HET?
Een buitengewoon mooi
natuurgebied.
HOE KOM JE ER?
Door een combinatie van
vliegtuig, veerboot, auto of
bus.
DE BESTE TIJD
Afhankelijk van het weer
het hele jaar, maar tussen
mei en oktober moet je een
toegangsprijs betalen.
**DICHTSTBIJGELEGEN
STAD**
Deer Lake ligt 32 km van de
ingang van het park; Rocky
Harbour ligt erin.
MAG JE NIET MISSEN
De rododendrons in de
lente, en de herfstkleuren.
WAT JE MOET WETEN
Je kunt er fascinerende
boottochtjes maken –
geniet van de
overweldigende kustlijn en
ontdek, als je geluk hebt,
een walvis.

Het eiland Newfoundland is het
meest oostelijke stuk van
Canada; het nationale park Gros
Morne ligt op de woeste westkust
daarvan en maakt deel uit van de
Long Range Mountains die zich
aan die kant over het hele eiland
uitstrekken. Deze bergen zijn de
verweerde overblijfselen van een
keten die miljoenen jaren geleden is gevormd, waardoor ze
twintig keer zo oud zijn als de
Rocky Mountains van westelijk
Canada. De keten was het gevolg
van een continentale botsing.
Tijdens de afgelopen 3 miljoen
jaar zijn er dertig perioden van
ijsvorming geweest; het komende
en gaande ijs heeft de bergpieken
versleten tot de afgeronde
toppen die vandaag de dag te
zien zijn.

Gros Morne National Park is
van een buitengewone natuurlijke schoonheid. In 1987
kwam het op de Werelderfgoedlijst van de Unesco; niet
alleen vanwege de visuele impact, maar ook omdat de
topografie van het park de belangrijkste fasen van de
evolutionaire geschiedenis van de planeet onthult. Het
meest spectaculaire kenmerk is waarschijnlijk Western
Brook Pond, een ruim 30 km lange, fjordachtige
structuur. Western Brook Pond werd later echter van
de oceaan afgesneden en is gevuld met helder, donker-
blauw, zoet water dat van het plateau erboven naar
beneden valt. Pissing Mare Falls, de hoogste waterval

van oostelijk Noord-Amerika, loost er zijn water in.

Een andere unieke eigenschap is een 600 m hoog plateau – de Tablelands genoemd – van rotsgesteente van de aardmantel dat honderden miljoen jaren geleden naar het oppervlak is gestuwd. Het is een mysterieus en dor gebied waar nauwelijks planten groeien. Elders beschikt het park over een grote verscheidenheid aan leefgebieden – van laaglanden aan de kust tot beboste bergen – waar veertien zoogdiersoorten voorkomen, waaronder de zwarte beer, de lynx, de kariboe en de poolhaas.

Niagarawatervallen

WAT IS HET?
De beroemdste watervallen ter wereld.
HOE KOM JE ER?
Vanuit Toronto met de auto of de trein.
DE BESTE TIJD
Eind voorjaar tot begin najaar.
DICHTSTBIJGELEGEN STAD
Niagara Falls, Ontario (4 km).
MAG JE NIET MISSEN
Een boottochtje naar de voet van de watervallen.
WAT JE MOET WETEN
Regenkleding is noodzakelijk.

Hoewel ze noch de hoogste noch de breedste watervallen van de wereld zijn, zijn de Niagarawatervallen op de grens tussen Canada en de Verenigde Staten wel de meest bekende. Ze zijn gevormd tijdens de laatste ijstijd, toen smeltende gletsjers de vijf Grote Meren lieten ontstaan. Het water dat vanuit het Eriemeer naar het Ontariomeer stroomde, sleet bij het passeren van de steile Niagarawand een kloof uit en in de loop der eeuwen heeft het de schalie aan de voet van de harde dolomieten rots geërodeerd. Momenteel verplaatsen de watervallen zich met een snelheid van

1,1 m/jaar stroomopwaarts. Aan de Amerikaanse kant valt ongeveer 10 procent van het water; de rest verzamelt zich in de Horseshoe Falls aan de Canadese zijde. Het water stroomt hier met een verbazingwekkende snelheid van 56,3 km/uur.

De oorspronkelijke bewoners noemden de watervallen 'onguiaahra' (donderend geluid), een toepasselijke benaming voor het oorverdovende geraas van de bijna 168 miljoen liter water die per uur naar beneden stort.

De *Maid of the Mist* brengt toeristen tot vlak bij de Horseshoe Falls voor een adembenemende (en natte!) ervaring en fotogenieke plaatjes van de regenbogen die door de zon in het water getoverd worden.

Water stort over de rand van de Horseshoe Falls.

Olympic National Park

Het schiereiland Olympic steekt in het uiterste noordwesten van de staat Washington, even ten zuiden van Vancouver Island, de Grote Oceaan in. Het bestaat bijna geheel uit beschermd natuurgebied: het Olympic National Park beslaat ruim 373.000 ha. In 1976 werd dit park een internationaal biosfeerreservaat en in 1981 kwam het op de Werelderfgoedlijst.

Het park kent drie aparte natuurgebieden: het kustgebied, het gematigde regenwoud en de Olympic Mountains die het schiereiland scheiden van het vasteland in het zuiden. Die isolatie heeft geleid tot veel inheemse flora en fauna, zoals de Olympische marmot, en bedreigde vogelsoorten, zoals de gevlekte bosuil en de marmeralk. Op de top van de bergen liggen eeuwenoude gletsjers; de top van de 2428 m hoge Mount Olympus domineert de westelijke helft.

De gematigde regenwouden liggen in het westen van het park, waar meer regen valt dan waar ook in het land, met uitzondering van Kauai in Hawaii. Het is een verbazing-

WAT IS HET?
Een nationaal park met drie verschillende ecosystemen.
HOE KOM JE ER?
Per bus of veerboot naar Port Angeles, en vervolgens met de auto en de benenwagen.
DE BESTE TIJD
Van juli tot september.
DICHTSTBIJGELEGEN STAD
Port Angeles, aan de noordzijde van het park.

Links: De Sol Duc Falls.

Met mos bedekte bomen in het Olympic National Park.

Crescent Lake.

wekkende streek, dichtbegroeid met oude bomen: sitkasparren, Westerse hemlocksparren, Douglassparren, ceders, esdoorns, elzen en zwarte balsempopulieren bieden een leefklimaat voor veel verschillende dieren.

Het kustgebied is ruig en wonderschoon – sommige zandstranden zijn vaak bedekt met wrakhout en andere rommel; andere met grote rotsblokken. Je vindt er uit de zee oprijzende rotsformaties en -bogen, getijdenpoeltjes vol schelpen en andere zeediertjes, en vogels zoals scholeksters en de Amerikaanse zeearend. In dit schitterende natuurgebied zijn nog steeds een paar indianengemeenschappen gevestigd. Hoewel je het park over verschillende wegen binnen kunt rijden, gaat er niet één ver, zodat je het grootste gedeelte te voet moet verkennen.

Cadillac Mountain, Acadia National Park, Maine

Het nationale park Acadia, voor de kust van de staat Maine, omvat Mount Desert Island, delen van drie kleinere buureilanden en een stuk van het schiereiland Schoodic. Op Mount Desert Island liggen zeventien bergen, waaronder de beroemde Cadillac Mountain.

Cadillac Mountain bestaat uit roze graniet en is bedekt met dennen- en sparrenbossen. De top zou jaarlijks tussen 7 oktober en 6 maart de eerste plek in de VS zijn waar zonnestralen op vallen. Op een heldere dag kun je vanaf die plek zowel het meer dan 160 km verder oostelijk gelegen Nova Scotia zien als de op dezelfde afstand in noordelijke richting liggende hoogste bergtop van Maine: Mount Katahdin. De vergezichten over het park zelf zijn buitengewoon prachtig, vooral als je de 43 km lange éénrichtingsweg Park Loop Road neemt.

Het unieke van dit park is dat het zijn bestaan grotendeels te danken heeft aan burgers die oog hadden voor de gevaren van overontwikkeling. President Woodrow Wilson riep het in 1916 uit tot

WAT IS HET?
Het enige nationale park in New England.
HOE KOM JE ER?
Een dam verbindt Mount Desert Island met het vasteland.
DE BESTE TIJD
Het hele jaar geopend, maar het mooiste weer tref je in juli en augustus
DICHTSTBIJZIJNDE STAD
Er zijn drie stadjes op Mount Desert Island zelf: Bar Harbor, Southwest Harbor en Northeast Harbor.
MAG JE NIET MISSEN
Zonsopkomst op de top van Cadillac Mountain.
WAT JE MOET WETEN
Met 471 m is Cadillac Mountain de hoogste piek aan de oostelijke kust.

Prachtige herfstkleuren in het Acadia National Park.

nationaal monument en in 1929 kreeg het de naam Acadia. Het blijft een eerbetoon aan John D. Rockefeller jr., die niet alleen ongeveer een derde van het land doneerde, maar ook verantwoordelijk was voor het ontwerp van meer dan 80 km wagenpaden door het park, evenals zeventien granieten bruggen en twee overnachtingsplekken.

Het park herbergt een massa dieren – veertig soorten zoogdieren, zeedieren zoals zeehonden en walvissen, en meer dan driehonderd vogelsoorten waarvan bijna de helft uit broedparen bestaat, waaronder slechtvalken. Deze geweldige roofvogels zijn bedreigd, maar in de afgelopen vijftien jaar zijn hier verschillende jongen groot geworden.

Bass Harbor moeras.

Herfstkleuren van New England

Elk jaar barst in oktober het loof in New England uit in een spectaculaire symfonie van levendige kleuren, voordat het op de grond valt en de bomen aan hun winterslaap beginnen. 'Bomen kijken' is hier in het najaar een veel voorkomende vrijetijdsbesteding. Zodra je de kleurenexplosie in het pittoreske landschap ziet, begrijp je waarom dit het meest populaire seizoen is om dit gebied te bezoeken.

Bladeren verliezen hun groene kleur omdat in de herfst de chlorofylproductie stopt. De tinten die dan tevoorschijn komen worden veroorzaakt door andere pigmenten; bijvoorbeeld carotenoïden die de gele, oranje en bruine kleuren opleveren, en anthocyanen die voor rode en paarse tinten zorgen.

De kleur hangt af van de boomsoort, omdat elk soort andere chemische stoffen bevat. Eiken worden rood, bruin of roodbruin; bitternoot-bomen krijgen een goudbron-zen tint; Amerikaanse kor-noeljes worden paarsrood; beuken vervagen naar licht geelbruin; de rode esdoorn krijgt een scharlakenrode gloed; de suikeresdoorn wordt oranjerood; de zwarte esdoorn glimmend geel; zuurbomen en

Herfstpracht in Connecticut.

de zwarte tupelo kleuren karmozijnrood en espen, berken en Amerikaanse populieren worden goudgeel.

De verscheidenheid en intensiteit van de herfstkleuren worden sterk beïnvloed door het weer – ze zijn het mooist als droge, zonnige dagen worden gevolgd door koele, droge nachten.

Als je het geluk hebt de opzienbarende bladerpracht die New England kleurt te zien, zul je begrijpen waarom je zelfs een informatienummer kunt bellen waarop elk uur te horen is waar je het beste naartoe kunt gaan.

Volgende pagina's:
Bossen in Vermont.

Mammoetbomen van Californië

Giant Redwoods of mammoetbomen zijn de hoogste bomen ter wereld en waarschijnlijk de grootste levende organismen op onze planeet. De naaldboomsoort *Sequoiadendron giganteum* (mammoetboom) uit de Moerascipresfamilie is de enige soort van het geslacht *Sequoiadendron*. Dat is echter weer nauw verwant met het geslacht *Sequoia*, waarvan de S. *sempervirens* (de kustmammoetboom) de enige soort is. Beide komen in Californië voor. Ze groeien alleen in de Sierra Nevada en zien er adembenemend uit.

Humboldt Redwood State Park herbergt de laatste maagdelijke redwoodwouden van de wereld; het staat op de Werelderfgoedlijst en maakt deel uit van een internationaal biosfeerreservaat. De soms meer dan 3000 jaar oude reuzen torenen boven de mist van Californië's kustklimaat uit. Het hoogste exemplaar is 'General Sherman' met maarliefst 84 meter.

Sequoia's zijn niet alleen hoog, ze zijn ook breed: je kunt inderdaad door de stam van de 'Shrine Drive Through Tree' heen rijden en Tharp's Log is een hut gebouwd in een omgevallen en uitgeholde boom. In een museum vind je informatie over de bomen en de pogingen die worden ondernomen om ze te beschermen. De grandeur van deze opmerkelijke bomen behoort zeker tot de wonderen der natuur. In de verheven stilte raak je onder de indruk wanneer je beseft dat deze bomen er nog zullen staan als jij er zelf allang niet meer bent.

WAT IS HET?
De plek waar de hoogste bomen van de wereld groeien.
HOE KOM JE ER?
Over de weg.
DE BESTE TIJD
Het hele jaar geopend.
DICHTSTBIJGELEGEN STAD
Visalia (78 km).
MAG JE NIET MISSEN
Kings Canyon National Park.
WAT JE MOET WETEN
Je moet betalen om binnen te komen.

Links: Mammoetbomen in het Humboldt Redwood State Park.

Een laan van giganten.

Monument Valley

Monument Valley is een gebied van zandstenen rotsformaties die tot wel 300 m hoog oprijzen uit de woestijn.
Dit is hét landschap dat je associeert met het
Amerikaanse Westen. De majestueuze rode tafelbergen
zijn ontelbare malen gefilmd en gefotografeerd, maar
het levendige kleurenpalet van dit onwezenlijke
landschap zal je tijdens een bezoek blijven verbazen.

Monument Valley ligt volledig binnen de grenzen van
het Navahoreservaat in het zuidoosten van Utah. De
beroemdste bezienswaardigheden liggen allemaal rond
het geïsoleerde stadje Goulding, ongeveer 280 km van
de dichtstbijzijnde stad (Flagstaff, Arizona). Dat is in
1923 als indiaanse handelspost opgericht en herbergt nu
een uitgebreide reeks voorzieningen voor bezoekers.

Hoewel het uitzicht vanaf het bezoekerscentrum al behoorlijk spectaculair is, is het grootste deel van het park alleen te zien vanaf Valley Drive. Deze bijna 30 km lange weg slingert langs de magisch oprijzende rotsen en plateaus, waaronder de Totem Pole: een ontzagwekkende, 90 m hoge piek van maar een paar meter breed. Naast de uitgesleten rotsen vind je in dit gebied een reeks eeuwenoude grotten en 'cliff dwellings', natuurlijke bogen en rotstekeningen.

Monument Valley is feitelijk geen vallei, maar een uitgestrekt, plat en desolaat landschap dat wordt onderbroken door afbrokkelende formaties: de laatste resten van de lagen zandsteen die ooit het volledige gebied bedekten. Monument Valley is het échte, spectaculaire, adembenemende Wilde Westen.

DICHTSTBIJGELEGEN STAD
Kayenta (32 km)
WAT JE MOET WETEN
Monument Valley ligt in een Navajoreservaat en staat als natuurmonument (Navajo Tribal Park) onder indiaans beheer. Je moet betalen om binnen te komen. De toegang tot het reservaat is beperkt. Maak geen foto's van de Indianen of hun eigendommen zonder toestemming. Als je wel toestemming krijgt, is een fooi op zijn plaats.

Het uitzicht vanaf het John Ford Point.

Volgende pagina's: The Mittens bij zonsondergang.

Grand Canyon

De Canyon, die door-
sneden wordt door de
Colorado River, is een
van de beroemdste
natuurgebieden in de
Verenigde Staten.
Deze 'grote kloof' van
446 km lang, maximaal
29 km breed en 800-
1550 m diep behoort
tot de zeven wereld-
wonderen en is in 1919
uitgeroepen tot
nationaal park.

Deze adembene-
mende kloof van
onvoorstelbare om-
vang in een palet van
karmozijnrode, gou-
den en oranje rots-
wanden, paarse
afgronden en heldere
stroompjes is een van
de meest verbazing-
wekkende landschap-
pen ter wereld. Toen
de dichter Carl Sand-
burg de zon in de
Grand Canyon zag
ondergaan, merkte hij
op: 'Daar gaat God met
een vaandelleger.'

De zuidelijke rand
van de Grand Canyon

*Grand Canyon badend
in het zonlicht.*

68

is het meest populair, omdat je vanaf de hoofdweg die er voor een groot deel parallel aan loopt, makkelijk binnen kunt komen. Bovendien heb je op deze weg veel prachtige vergezichten en liggen er verschillende wandelpaden aan.

De noordelijke rand is hoger en wordt minder bezocht door toeristen. Aan deze kant van de kloof kun je via verschillende onverharde wegen met een paar specta- culaire vergezichten de afgelegen Tuweep Area bereiken, maar in een groot deel van dit gebied zijn helemaal geen wegen.

Een uitzicht over de zuidelijke kam van de Grand Canyon.

De Grand Canyon beschikt over veel verschillende onge- looflijk mooie plekken die grotendeels ver- borgen of moeilijk te bereiken zijn, onder andere watervallen, vijvers, smalle ravijnen en oases. Lopend heb je op veel plekken meer dan een dag nodig om van de rand de uitge- strekte kloof te berei- ken. Anders moet je een tocht maken die een stuk ingewikkelder is (o.a. een stuk varen over de Colorado River).

Pas wanneer je details ziet, zoals een passerende zwerm ganzen, dringt de ware omvang van dit natuur- wonder tot je door en snap je waarom het zo populair is.

De Everglades in Florida

Everglades National Park, in het zuiden van Florida, is het grootste beschermde natuurgebied in de zuidoostelijke Verenigde Staten. Het werd in 1947 door president Truman in het leven groepen om te voorkomen dat het landbouwgrond zou worden. Dit weelderige moeraslandschap staat ook op de Werelderfgoedlijst, vanwege het belang van de dieren die er bescherming vinden. Het wordt gevormd door het zoete water van de Kissimmee River, dat van Orlando via het enorme Lake Okeechobee langzaam zuidwaarts beweegt. Het park beschermt een vijfde van het oorspronkelijke oppervlak van de Everglades, waarvan ongeveer de helft nog over is.

De fauna in dit uitgestrekte groene landschap is terecht beroemd: ontelbare alligators en de zeldzamere Amerikaanse krokodillen liggen te zonnebaden op de rivieroevers; de riviermonden wemelen van vogelsoorten zoals zilverreigers, lepelaars en kaalkopooievaars, terwijl de bedreigde lamantijn in de buurt van de kust en in estuaria gezien kan worden.

WAT IS HET?
Het grootste beschermde natuurgebied in de zuidoostelijke Verenigde Staten.

HOE KOM JE ER?
Over State Road 9336 (Alligator Alley) vanuit Florida City.

DE BESTE TIJD
Van december tot april is het er aangenaam, relatief droog en vrij van muggen.

DICHTSTBIJGELEGEN STAD
Florida City (15 km).

MAG JE NIET MISSEN
Een opwindende tocht per airboat.

WAT JE MOET WETEN
Het hoofdkwartier van het park is gevestigd in het bezoekerscentrum Ernest F. Coe; er zijn ook bezoekerscentra in Everglades City, Flamingo en Shark Valley.

Een alligator in de Turner River.

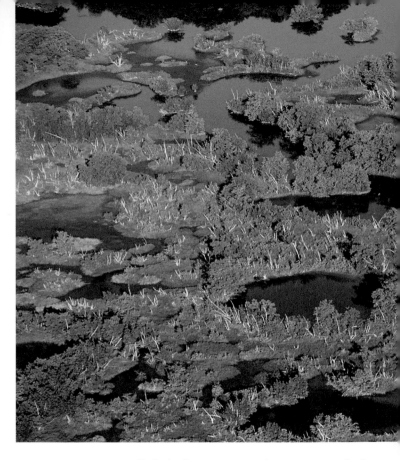

*De waterrijke
Everglades.*

Ondanks de mangrove- en cipresmoerassen zijn de
Everglades technisch gezien een zeer langzaam
stromende rivier. Het subtropische land heeft ook brede
galigaanstroken en rotsachtige stukken met dennen-
bomen die van internationaal belang zijn.

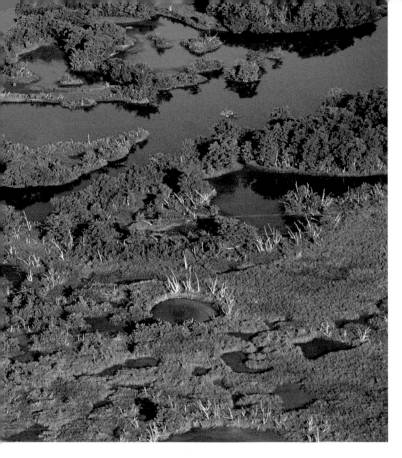

De belangrijkste weg door het park loopt van Florida
City aan de oostkust tot Flamingo bij de Golf van Mexico
en staat bekend als 'Alligator Alley'.

Het gebied is te verkennen middels vele korte en
lange wandelroutes en airboat- en kanotochten.

Sian Ka'an biosfeerreservaat

WAT IS HET?
Een nationaal biosfeerreservaat en werelderfgoed.
HOE KOM JE ER?
Per vliegtuig naar Cancún of Playa del Carmen.
DE BESTE TIJD
Van november tot mei.
DICHTSTBIJGELEGEN STAD
Cancún, Playa del Carmen en Tulum.
MAG JE NIET MISSEN
De lagune Chunyaxche en de omringende cenotes (ondergrondse poelen).
WAT JE MOET WETEN
Voor bepaalde gebieden in het reservaat moet je wellicht een vergunning kopen. Zorg dat je van tevoren op de hoogte bent van de bezoekregels die gelden in verschillende onderdelen van het reservaat.

Het biosfeerreservaat Sian Ka'an is een park van 526.000 ha aan de oostzijde van het schiereiland Yucatán in de staat Quintana Roo. Het is aangewezen ter bescherming van tropische bossen, mangroves, savannes, cenotes (ondergrondse poelen), koraalriffen en meer dan 25 Maya-ruïnes. Sommige delen zijn geheel voor mensen verboden om de authentieke, ongerepte eigenschappen te bchou den, maar het grootste deel van dit enorme gebied is voor ecotoeristen een van 's werelds meest geliefkoosde en exotische recreatieoorden.

De toeristische voorzieningen tussen Cancún en Tulum aan de noordkant vormen zowel een bedreiging als een noodzakelijke bron van inkomsten voor het reservaat. Afgezien van de campings zijn er nauwelijks overnachtingsmogelijkheden, behalve in de vishutjes die gebouwd zijn om te kunnen vissen op de zoutwaterschorren van wereldklasse. Hengelaars kunnen tussen de mangroven gratenvissen, horsmakrelen (*Trachinotus falcatus*) en barracuda's aan hun lijn krijgen. De meeste andere mensen kunnen gebruikmaken van de smaakvolle rondleidingen van toeristencentra om een bezoek te brengen aan het allerbeste dat Sian Ka'an te bieden heeft.

Gidsen nemen je mee op een boot rond de 'mangrove-eilanden' vol nestelende vogels, waar rode lepelaars, ibissen en driekleurige reigers tot de vaste bewoners behoren. Dat geldt in mindere mate voor jabiroes, jaguars, herten, pekari's, lamantijnen en slingerapen. Landinwaarts klampen bloeiende orchideeën en bromelia's zich vast aan het latwerk van mangrove – en overhandigt de gids je een zwemvest om in het koele water stroomafwaarts te drijven.

Uiteraard kun je zelf door het reservaat rijden en stoppen om tussen de riffen te snorkelen. De wegen zijn echter zo slecht dat alleen de sterkste auto's niet door hun as zakken. Bovendien moet je geluk hebben om voorbij Tulum nog een benzinepomp te vinden.

Skiffs liggen voor anker in een lagune bij het Sian Ka'an-reservaat.

WAT IS HET?
Het gebied is een
internationaal belangrijk
ecoreservaat.
HOE KOM JE ER?
Met de auto/bus uit
Mexico-Stad (4 uur) in
westelijke richting naar
Heroica Zitácuaro, en
vervolgens noordwaarts
naar Mineral de Angangueo;
neem daar een taxi met
gids of maak een – zeer
pittige! – wandeling naar
het noordelijk gelegen
El Rosario.
DE BESTE TIJD
Van november tot april.
**DICHTSTBIJGELEGEN
STAD**
Mineral de Angangueo
(6 km).
WAT JE MOET WETEN
Neem in ieder geval
wandelschoenen mee.
Het stadje Angangueo werd
beschadigd door een zware
storm in februari 2010.

Reservaten van monarchvlinders

In november, wanneer de zomer in Noord-Amerika ten einde loopt, vliegen honderden miljoenen monarch-vlinders massaal zuidwaarts naar de bergen van de staat Michoacán, ten westen van Mexico-Stad. Ze vullen de lucht met een oranjezwarte sneeuwstorm en dalen met zoveel tegelijk neer dat de bomen doorbuigen onder hun gewicht. Hun bestemming is een groep Oyamel-dennenbossen waar ze, op een hoogte van ongeveer 3040 m, afhankelijk zijn van een uniek microklimaat om te overwinteren. Het gebied is echter berucht vanwege de schaarste en de overgebleven bossen worden onophoudelijk bedreigd door legale en illegale kap. Slechts langzaam dringt bij de lokale middenstand het besef door dat ecotoerisme een levensvatbare alter-natieve inkomstenbron zou kunnen zijn en dat ze de drie belangrijkste bioreservaten van El Rosario, El Capulin en Piedra Herrada moeten beschermen.

Voor het indrukwekkende schouwspel van wel 250 miljoen monarchvlinders hoef je niet per se de natuur in. De vlinders delen de kleine pueblo's en bergdorpjes zowel met de boeren, schoolgaande kinderen en winkeliers die in de bossen wonen, als met de ecotoeristen. Ze strijken overal neer: op bakken maïs, kinderwagens en straatborden – en zelfs op de torens van de kathedraal in Mineral de Angangueo: het stadje waarvan het steile dal en de slingerende

Links en rechts: Monarchvlinders rusten uit op een spar

klinkerstraten het centrum van monarchvlinderland markeren. Je ziet ze echter in een duizelingwekkende overvloed binnen de officiële reservaten. In El Rosario bekleden ze de bodem van het bos op zoek naar water en moet je goed uitkijken waar je je voeten neerzet. Een bord nodigt je uit om *guarda silencio*: een tekst die je ook in Mexicaanse kerken kunt vinden. En het klopt dat de vlinderbossen een heilig ontzag inboezemen. Soms zijn lokale gidsen zo onder de indruk dat ze houtblokken op de bospaden leggen om een te grote toestroom van toeristen te ontmoedigen. Het maakt niet uit – binnen de reservaten kom je overal stromen vlinders tegen en kun je zelfs binnen hun caleidoscoop van flitsende schoonheid staan.

Volgende pagina's. Monarchvlinders in Angangueo verzamelen zich massaal op takken.

77

Isla Carmen

WAT IS HET?
Het grootste eiland in het nationale marienpark Loreto-baai.

HOE KOM JE ER?
Per vliegtuig van San Diego of Los Angeles naar Loreto aan de Baja-kant van de Golf van Californië. Dan met een particuliere boot of een charter. Wij raden aan dat je een zodiac of skiff huurt – je mag nergens een anker uitwerpen om het rif niet te beschadigen, en deze typen boten zijn makkelijk vast te leggen en naartoe te zwemmen.

DE BESTE TIJD
Oktober tot mei, maar tussen januari en maart zie je talloze walvissen.

DICHTSTBIJGELEGEN STAD
Loreto

De Golf van Californië, ook wel bekend als de Zee van Cortés, tussen het schiereiland Baja California en het Mexicaanse vasteland, is een wonderlijk deel van de Stille Oceaan. Een 1000 km lang rif vol cactussen en zeedennen schermt een warme gebied af van het geweld van de oceaan. Het is de kraamkamer van vinvissen, potvissen en orka's, en er komen veel dolfijnen, zeeleeuwen en mantaroggen voor. Er leven 600 vissoorten waaronder grote scholen engelvissen, gitaarvissen, en roodstaart-tijgervissen. Daar leven vogels van, zoals de roodsnavelige keerkringvogel, bruine en witte pelikanen, fregatvogels en de zeldzame Heermanns meeuwen. Halverwege de Golf, waar de gematigde zone overgaat in de tropische en allerlei soorten op hun trektochten bij elkaar komen, ligt Isla Carmen, het grootste eiland in het Nationaal Park Bahía de Loreto.

Dolfijnen in de Golf van Californië.

Carmen was befaamd vanwege de zuiverheid van de zoutafzettingen, die daar aan het begin van de 16e eeuw werden ontdekt. Nu is Salinas, de enige nederzetting, een spookdorp tussen de 60 m hoge kliffen, duinen en witte stranden. Schalie en kiezels vormen steile hellingen van de hoge ruggen, die doorsneden worden door droge geulen. Als je van een van de baaien wegloopt, zie je binnen enkele minuten de zee al niet meer en loop je in een winderige woestijn met reuzencactussen en kolibries. Hier woont niemand en er is geen enkele voorziening. Je mag er enkele dagen kamperen, maar je moet van tevoren een vergunning hebben aangevraagd (in het kantoor van het park in Loreto op het vasteland) om hier zelfs maar te mogen komen. In 1996 werd iedere vorm van visserij hier verboden, en sindsdien heeft de ecologische keten in zee en op land zich volledig kunnen herstellen: de natuurlijke rijkdom van Isla Carmen is nog nooit zo groot geweest als nu.

MAG JE NIET MISSEN
Dicht bij de grote, brullende zeeleeuwengemeenschap op Punta Lobos zien te komen, een koepelvormig eilandje aan het noordelijke uiteinde dat door een zandbank met Isla Carmen is verbonden. Laag op het water zitten in een rubberboot tussen tientallen dolfijnen en walvissen, die hun jongen tijdens de inspectie meenemen en je er misschien mee laten spelen. Je zult glimmen van geluk. Naar de sterren kijken naast de gloeiende spanen van je kampvuurtje; en wakker worden in een zonsopgang van brons en goud – hier is de natuur zoals ze bedoeld is.
Kajakken in de grotten en tussen de riffen en rotsformaties onder de kliffen.
Het uitzicht op Carmen – dat als een stegosaurus voor de kust ligt – vanuit Loreto, dat zelf een historisch monument uit 1697 is; Loreto was de eerste Spaanse missiepost in Californië.
WAT JE MOET WETEN
In *The Log from the Sea of Cortez* (1951) bestudeert John Steinbeck nauwkeurig het leven in zee rond Isla Carmen. Ook beschrijft hij springende zwaardvissen en 4 m lange mantaroggen.

Het nevelwoud van Monteverde

WAT IS HET?
Een van de best florerende natuurreservaten ter wereld.

HOE KOM JE ER
Met de bus vanuit San José (4,5 uur) of Puntarenas (3 à 4 uur).

DE BESTE TIJD
Het hele jaar door – maar rustiger van oktober tot maart.

DICHTSTBIJGELEGEN STAD
Monteverde ligt dichtbij de ingang van het nevelwoud.

MAG JE NIET MISSEN
De Vlindertuin, de Orchideeëntuin, de Wereld der Insecten en het Serpentarium van Monteverde.

WAT JE MOET WETEN
Maak je gebruik van een gids, vraag dan naar een certificaat of vraag om aanbeveling bij het lokale toeristenbureau. Niet alle gidsen zijn even gewetensvol. Let op dat het paard dat je berijdt er gezond uitziet en dat de gids op de druk begane paden blijft.

Volgende pagina's: Mist over de hellingen en regenwouden van de Peñas Blancasvallei.

Toeristen op een hangbrug in het nevelwoud van Monteverde.

In de bergen van Costa Rica ligt onder een deken van leven brengende mist het nevelwoud van Monteverde. Deze weelderige, van vocht doordrenkte plantenrijkdom geldt als een hedendaags icoon. Het reservaat werd oorspronkelijk opgezet door quakers, in de jaren zestig op de vlucht voor de dienstplicht in de Verenigde Staten. Het is privébezit en beslaat inmiddels meer dan 10.500 hectare.

Met hoogtes tussen de 600 en 1800 meter staat het natuurreservaat bekend als een van de meest florerende landschapsparken ter wereld. Er huizen meer dan 100 zoogdiersoorten, 400 vogelsoorten, 120 amfibie- en reptielsoorten, 2500 plantensoorten en tienduizenden insectensoorten. Het wildpark herbergt bovendien ook grotere diersoorten, zoals de jaguar, de ocelot, de kleurrijke quetzal en de Midden-Amerikaanse tapir.

Neem vooral alle tijd voor een bezoek aan het reservaat. Een boottocht over het aangrenzende Arenalmeer biedt een prima voorproefje. Daarvandaan kun je onder begeleiding een tochtje te paard te maken langs de oevers van het meer en verder naar Monteverde. Zo bereik je een prachtige plek waar je kan genieten van de overweldigende kleuren, geluiden en geuren van deze magnifieke omgeving. Dit gebied is een waar toevluchtsoord voor wilde dieren, die hier beschermd zijn voor de mens. Voor wetenschappers vormt het een geweldige observatiepost en voor toeristen een schitterend natuurparadijs.

Coiba

Coiba, met 493 km² het grootste eiland van Midden-
Amerika, ligt 50 km uit de kust van de Panamese
provincie Veraguas in de Stille Oceaan. Ongeveer
80 procent is bedekt met ongerept tropisch
regenwoud – hier staan talloze bomen en andere
planten die op het vasteland niet meer voorkomen. In
het heuvelachtige midden van het eiland, langs talloze
beken en rivieren, leven naar verhouding grote
aantallen brulapen, witvoorhoofdkapucijnapen,
reptielen en amfibieën, en zeldzame vogels zijn hier
niet zo zeldzaam. Hier zie je Coiba-stekelstaarten en

harpijen en grote vluchten rode ara's. De ara's vormen het zichtbare bewijs dat het eiland tot nu toe aan iedere ontwikkeling als toeristenoord is ontsnapt.

Van 1919 tot 2004 was het een strafkolonie, en ook nu nog is bezoek beperkt. Om het ongerepte ecosysteem van Coiba te beschermen, zorgen de reisorganisatoren ervoor dat er zo min mogelijk inbreuk op wordt gepleegd – bovendien dragen ze bij aan het voorkomen van stroperij, illegale houtkap en andere bedreigingen.

Het is niet gemakkelijk om op Coiba te komen, maar de beloning is verbluffend. Het eiland vormt het hart van een nationaal park dat 38 eilanden en een groot deel van de Golf van Chiriqui beslaat. Het ecologische belang is zo groot dat de Unesco het park heeft uitgeroepen tot werelderfgoed. Dankzij de Indo-Pacifische Stroom stroomt warm water de golf in en dat brengt koraaldiertjes en andere kleine beestjes mee, die je in het gewoonlijk koudere water aan de Amerikaanse westkust niet verwacht. Hierdoor worden grotere dieren aangetrokken, zoals bultrugwalvissen, witvin-, hamer-, tijger- en walvishaaien, roggen, barracuda's, amberjacks, snappers, drie soorten marlijnen en vier soorten zeeschildpadden. De variatie en de aantallen maken dit een duikplek van wereldklasse – een eiland dat zich kan meten met Isla del Coco en de Galápagos.

HOE KOM JE ER?
Per vliegtuig; vanaf Panama-Stad naar een kleiner vliegveldje en vandaar naar de airstrip op Coiba (die alleen door charters gebruikt mag worden); per boot vanaf het strand bij Santa Catalina en andere plaatsen op het vasteland.

MAG JE NIET MISSEN
Barco Quebrado – waar rode ara's zich verzamelen; deze kleurrijkste van de 150 vogelsoorten op Coiba vormen de grootste concentratie ter wereld. Duiken voor Bahía Damas aan de oostkant van Coiba, met 135 ha het grootste koraalrif aan deze kant van Midden-Amerika. De brulapen, kapucijnapen, wenk- en heremietkrabben, Coiba-agoeti's, boa constrictors en lanspuntslangen op het Sendero de los Monos, het 'apenpad'. Snorkelen over de velden waaier- en hersenkoraal voor het zandstrand van Granito de Oro. De oerwoudrivier de Río Negro.

WAT JE MOET WETEN
Vanwege de kwetsbaarheid van het ecosysteem en omdat je het water goed moet kennen, moeten duik- en vistochten van tevoren met plaatselijke gidsen worden afgesproken. En: 'Wie erop wordt betrapt dat hij een anker op het rif laat zakken, krijgt er ook een naar zijn hoofd.'

Een gezicht op Coiba National Park, een groep vulkanische eilanden in de Panamese Stille Oceaan.

87

WAT IS HET?
Een veelzijdige tropische
wildernis.

HOE KOM JE ER?
Er zijn verschillende routes.
Vanuit Costa Rica: met de
bus van San José naar San
Vito, of met de auto van
San José naar San Isidro del
General (153 km). Vanuit
Panama: per vliegtuig of
auto naar David, vervolgens
een uur rijden naar Cerro
Punta en nog 5 km naar Las
Nubes (Amistad
Administrative Centre). Of
vlieg naar Changuinola, dan
een uur rijden naar El
Silencio en per boot naar
Bocas del Toro (Amistad
Administrative Centre).

DE BESTE TIJD
Aan de Caribische kant: het
hele jaar heet en vochtig.
Aan de Pacifische zijde
loopt het droge seizoen van
december tot april. De
temperatuur varieert al
naargelang de hoogte.

**DICHTSTBIJGELEGEN
STAD**
Costa Rica: San Isidro del
General (25 km); Panama:
Cerro Punta (5 km).

WAT JE MOET WETEN
Een groot deel van het park
is nooit in kaart gebracht,
dus het zou dom zijn om
zonder gids erg ver te gaan.
Er zijn toegangspoorten
(*puestos*) waar je een
kaartje kunt kopen en een
plattegrond krijgt.
Kamperen is toegestaan in
Estacion Altimira en
Estacion Las Tablas, maar
er zijn geen
overnachtingsmogelijkheden
in het park. Een groot deel
van het terrein ligt bijna
2000 m boven zeeniveau,
dus bereid je daarop voor.

Parque Internacio- nal de la Amistad

La Amistad (vriendschap)
maakt deel uit van een
coöperatief Midden-
Amerikaans natuur-
beschermingsproject met als
doel een ononderbroken
boscorridor van Mexico tot
Panama – een poging om de
overblijfselen te beschermen
van een streek waarin 80
procent van de natuurlijke
leefgebieden is vernietigd.

Het park heeft een centrale
zone van bijna 6000 km^2 met
ongerept tropisch regenwoud
in het eeuwenoude granieten

Talamancagebergte – een waterscheiding van
levensbelang tussen de Grote Oceaan en de Caribische
Zee met de hoogste bergtoppen van zowel Costa Rica
– de Cerro Chirripó van 3819 m – als Panama: de
Volcan Barú van 3475 m. Het 25.000 jaar oude,
maagdelijke regenwoud huisvest vier indianen-
stammen – meer dan driekwart van Costa Rica's
inheemse bewoners.

Hier vind je een ongelooflijke verscheidenheid aan
flora en fauna. Tienduizenden plantensoorten floreren
in de verschillende leefgebieden: van mangrovebossen
op zeeniveau en laaggelegen regenwouden tot bergbossen en subalpiene ecosystemen. Zo is er een
ongerept eikenbos waar zeven soorten eiken (*Quercus*)

Hyla lancasteri
boomkikker.

groeien en leven er rond de 400 vogel- en 260 reptielen-
en amfibieënsoorten. Je vindt er ook Midden-Amerikaanse tapirs, neusberen en brul-, grijpstaart en
kapucijnapen, terwijl het tevens een van de laatste
toevluchtsoorden voor de wilde katachtigen – ocelot,
tijgerkat, jaguar en poema – van Midden-Amerika is.

Aan de kant van Costa Rica is het park relatief
ontoegankelijk en slechts gedeeltelijk ontgonnen. Er
zijn geen verharde wegen, dus je moet te voet of te
paard reizen. Het is veel makkelijker om het park vanaf
de Panamese zijde te verkennen, maar welke route je
ook kiest: het is een verbazingwekkende plek voor
avontuurlijke bos- en bergwandelingen, ritjes te paard,
om te gaan vissen of te kijken naar vogels.

Exuma Cays

De Exuma Cays vormen een 145 km lange keten van meer dan 360 zanderige koraaleilanden en -eilandjes. Ze lopen vanaf Beacon Cay, 40 km ten zuidoosten van Nassau, zuidwaarts tot de twee hoofdeilanden van de archipel: Great Exuma en Little Exuma.

Aan de westelijke kant worden ze begrensd door het ondiepe water en de verraderlijke zandbanken van de Great Bahama Bank en aan de oostzijde door het smaragdgroene water van de Exuma Sound: een onderzeese kloof waarvan de steile rifwand honderden meters naar beneden duikt en enorme grotten en tunnels bevat die bescherming bieden aan vissen in alle soorten en maten. Je kunt de Cays alleen per boot verkennen en dat verleent ze een prachtig aura van afzondering en isolatie, ook al liggen ze maar een paar uur van de bewoonde wereld. Er wonen nauwelijks mensen (voornamelijk vissers); de enige nederzetting van enig formaat is Georgetown op Great Exuma.

Zowel qua omvang als topografie verschillen de Cays onderling enorm. Sommige zijn nauwelijks meer dan kale, zanderige stukken rif, terwijl andere eilanden met dichtbegroeide, glooiende heuvels met grotten en kloven zijn. Ze worden gescheiden door smalle stroken kristalhelder, aquamarijnkleurig water vol koralen en tropische vissen. Vanwege het feit dat je onder water heel ver kunt kijken (24 tot 43,5 m), zijn de Cays een voortreffelijke plek om te duiken en onder water te fotograferen.

In het Exuma Cays Land and Sea Park, een reservaat van 456 km^2 waar niet gevist mag worden, leven 50.000 zeediersoorten. Het park is tevens een vitaal toevluchtsoord voor verschillende zeldzame soorten leguanen, zeeschildpadden, zeevogels en inheemse hutia's. De Bahamas National Trust richtte het park in 1959 op en vestigde het hoofdkwartier op Waderick Wells Cay, 105 km ten zuidoosten van Nassau. Het is het oudste mariene reservaat ter wereld.

Volgende pagina's: De Exuma Cays vanuit de lucht.

De weelderige visstand en het heldere water maken de Exuma Cays een perfecte plek voor duikers.

Mariel to Valle de Viñales

WAT IS HET?
Een karstlandschap uit de Jura.

HOE KOM JE ER?
Vlieg naar Havanna. Bus/taxi vanaf Havanna, 180 km.

DE BESTE TIJD
In het droge seizoen: van november tot april.

DICHTSTBIJGELEGEN STAD
Pinar del Rio op 40 km.

MAG JE NIET MISSEN
Gran Caverna de Santo Tomás, 16 km west van Viñales – meer dan 46 km aan ondergrondse gangen en ruimtes vol stalactieten en stalagmieten, meren en rivieren.

WAT JE MOET WETEN
Reis niet alleen; er zijn hier mensen spoorloos verdwenen. Het landschap is misleidend, men verdwaalt er makkelijk en zit snel zonder water.

Hoewel het relatief dicht bij Havanna ligt, hebben de oprukkende beschaving en het toerisme nooit vat gekregen op de dichte bossen en ruige bergen in het uiterste westen van Cuba, maar dit gebied is inmiddels goed bereikbaar geworden. De auto is zonder meer de beste manier om Cuba te verkennen en dit is een van Cuba's mooiste routes.

Eenmaal buiten de armoedige buitenwijken van Havanna is het genieten geblazen. Het begint al bij Mariel, de vissershaven die ooit bekendheid genoot als het vertrekpunt voor Cubanen die Florida wilden bereiken. Met de zee aan je zijde rij je de groene heuvels van het Sierra del Rosario in, een door Unesco beschermd biosfeerreservaat van tropische bergwouden. Het reservaat wordt doorsneden door talloze rivieren en watervallen en biedt een onderkomen aan honderd vogelsoorten en aan meer dan de helft van Cuba's inheemse dier- en plantensoorten. Makkelijk te bezoeken vanaf de Circuito Norte is Las Terrazas, een eco-leefgemeenschap in de bossen. Een goed vertrekpunt voor wie wil zwemmen in de watervallen en poelen van de San Claudio Cascade, of voor een bezoek aan de orchideeëntuin van Soroa.

Maar het wordt nóg beter. De Valle de Viñales is een Unesco-werelderfgoed, aangemerkt als cultuurlandschap zowel vanwege de verbluffende schoonheid als vanwege de streekgebonden architectuur en tradities.

Onder de indrukwekkende panorama's wordt een pro-
minente plek opgeëist door de zogeheten mogotes,
fantastische rotsachtige uitstulpingen die als eilanden
uittorenen boven een zee van groene velden. Enorme
grotten (ooit de schuilplaats van de resterende Taíno-
indianen en gevluchte slaven) leggen een spikkelpatroon
op de omringende rotswanden. Deze vallei is de ziel van
Cuba: het is volkomen gepast dat zo'n prachtige plek de
winplaats is van Cuba's voortreffelijkste tabaksbladeren.

*Het wonderlijke
karstlandschap van de
Viñalesvallei.*

De Blue Mountains

De Blue Mountains hebben een toepasselijke naam. Ze zijn gehuld in een permanente mist die ze, van een afstand gezien, een blauw waas geeft. Ze zijn bekend vanwege hun gevarieerde landschap, biodiversiteit en imponerende vergezichten, maar ook door de lekkerste koffie ter wereld die op de lager gelegen hellingen verbouwd wordt.

De bergen verrijzen met een steile hellingsgraad uit

voetheuvels aan de noordoostelijke rand van de hoofd-stad Kingston; de meer dan 2100 m hoge keten strekt zich vervolgens over een lengte van 45 km uit over oostelijk Jamaica. Op een heldere dag kun je vanaf Blue Mountain Peak – met 2256 m het hoogste punt in Jamaica – Cuba zien liggen. Door het dichtbeboste, 20 km diepe, woeste achterland lopen snelstromende rivieren, beken en watervallen die afdalen in weelderig begroeide dalen en regelmatig overstromingen en landverschuivingen veroorzaken. Er valt hier per jaar meer dan 760 cm regen; genoeg om bijna de halve Jamaicaanse bevolking van water te voorzien. Sommige delen van deze wildernis zijn nog steeds niet in kaart gebracht.

In de 18e eeuw vestigden gevluchte slaven (Maroons) hun hoofdkwartier in het hart van deze ondoordringbare jungle. Hun guerrillaoorlog tegen de Britten was zo succesvol dat ze uiteindelijk de rechten op dit land verwierven. Tegenwoordig verbergen hun afstammelingen, landbouwende rasta-fari, hun ganja (marihuana)plantages hier.

In de bergen groeien meer dan 500 bloeiende plantensoorten, waaronder de bijzondere Jamaicaanse bamboe, de *Chusquea abietifolia*, die maar eens in de 33 jaar bloeit (in 2017 weer). Tot de meer dan 200 soorten vogels die hier overwinteren of wonen, behoort de kolibrie (plaatselijk bekend als de 'doktervogel'). Ook de op één na grootste vlinder ter wereld, de homeruspauwoog (*Papilio homerus*) vind je hier.

In 1990 werd het Blue and John Crow Mountains National Park – met een totaaloppervlak van 78.212 ha – opgericht om de resterende bossen en de watervoorziening te beschermen.

WAT IS HET?
Een bergachtig regenwoud.
HOE KOM JE ER?
Via de internationale luchthavens in Montego Bay of Kingston; vanuit Kingston vervolgens per bus.
DE BESTE TIJD
Het droge seizoen loopt van december tot april. Het is niet verstandig om in het regenseizoen te gaan wandelen, want dan is de kans op landverschuivingen en overstromingen groot.
DICHTSTBIJGELEGEN STAD
Kingston (minder dan een uur rijden).
MAG JE NIET MISSEN
De talloze beekjes en watervallen op de noordelijke hellingen.
WAT JE MOET WETEN
In je eentje wandelen is niet veilig. Neem altijd een gids mee om te voorkomen dat je in de problemen komt door op een illegale marihuanaplantage te stuiten of de weg kwijt te raken.

Een uitzicht op de spectaculaire Blue Mountains.

97

Koraalriffen in Curaçao

Curaçao, het grootste eiland van de Nederlandse Antillen, ligt buiten de orkaanzone voor de kust van Venezuela. Met z'n vlakke terrein, geringe neerslag en onvruchtbare bodem lijkt het landschap meer op een landinwaarts gelegen woestijn dan op een tropisch eiland. Het eiland is bekend vanwege de prachtige duikfaciliteiten, maar ook door de koloniale architectuur (werelderfgoed) en de levendige multiculturele samenleving.

Curaçao wordt volledig omringd door een koraalrif van miljoenen jaren oud. De noordelijke kust is rotsachtig en heeft maar een paar stranden waar een stevige stroming staat. De zee aan de zuidkant is echter schitterend en kalm. De 54 km lange kustlijn met beschutte baaien en kleine zandstranden in rotsige inhammen, beschikt over meer dan 80 voortreffelijke duikplekken, waarvan er zes tot de beste ter wereld behoren.

Langs het rif, plaatselijk bekend als de 'blauwe rand', daalt de zeebodem op een uitermate korte afstand van de kust – minder dan 100 m – waardoor dit een van de beste kustduikplekken van het hele Caribische gebied is. Zachte hellingen leiden naar duizelingwekkende koraalwanden, oude scheepswrakken en een krioelend zeeleven in rustig, helder water waar je een zicht hebt van meer dan 30 m. Massieve uitbarstingen van koraal die wemelen van de tropische vissen reiken tot diepten van meer dan 40 m, waardoor ook diepzee- en grotduiken tot de mogelijkheden behoren.

Het Onderwaterpark Curaçao, dat zich over een lengte van 20 km langs de zuidelijke kust uitstrekt, is in 1983 opgericht om de zachte koralen en sponzen te beschermen tegen de zeer schadelijke vervuiling en ervoor te zorgen dat het rif gezond blijft om de huidige overvloed aan zeedieren van voedsel te voorzien.

WAT IS HET?
Een woestijnachtig koraaleiland.
HOE KOM JE ER?
Rechtstreekse vluchten vanuit de VS en Amsterdam naar Hato International Airport, ruim 11 km ten noordwesten van Willemstad.
DE BESTE TIJD
Altijd. Het regenseizoen loopt van oktober tot december, maar zelfs dan zijn het maar kleine buitjes.
DICHTSTBIJGELEGEN STAD
Willemstad.
MAG JE NIET MISSEN
Klein Curaçao – een idyllisch eilandje met zeeschildpadden en dolfijnen. Hato Caves – vreemde kalksteenformaties, eeuwenoude grotschilderingen van de Caiquetios-indianen en een kolonie vliegende honden.
WAT JE MOET WETEN
Samen met Bonaire en Aruba vormt Curaçao de zogenoemde ABC-Eilanden. Curaçao heeft een duister verleden. Zo was Willemstad het centrum van de slavenhandel; in de cultuur en architectuur zijn daar nog veel sporen van terug te vinden.

Volgende pagina's:
Het maagdelijke Knip Beach

Touwspons (Aplysina cauliformis).

99

Een bromelia in bloei langs het Mount Britton-pad dat door het El Yunque regenwoud slingert.

El Yunque

Het Caribbean National Forest, het oudste natuur-reservaat op het westelijk halfrond, staat bekend om de ongerepte atmosfeer en de opmerkelijke biodiversiteit.

Het wordt meestal El Yunque genoemd, naar de belangrijkste berg in de Sierra de Luquillo, ten zuid-oosten van San Juan. Het is een relatief klein, sub-tropisch regenwoud dat een oppervlak van 11.480 ha beslaat. De beschermde status kreeg het in 1876 van de Spaanse koning Alfons XII. Die wilde daarmee voor-

komen dat zijn vijanden met het hout uit de bossen boten bouwden. Tegenwoordig maakt het deel uit van het US National Forest System.

El Yunque bestaat uit vier verschillende vegetatietypen die samenhangen met de hoogte: *tabonuco*, *palo colorado*, *palma sierra* en ten slotte, op hoogtes boven de 740 m, de bijzondere nevelwouden waar door de wind in vreemde vormen vergroeide bomen permanent in de mist gehuld zijn.

In de warme, vochtige omgeving gedijen veel verschillende planten. Het regent bijna iedere – en soms een paar keer per – dag; per jaar stroomt 379 miljard liter water in rivieren en watervallen langs de berghellingen naar beneden. Die overvloed aan water schept een gunstige leefomgeving voor meer dan 240 boom- en plantensoorten, waarvan er 26 uniek zijn. Er groeien vijftig soorten inheemse orchideeën evenals (korst)mossen, gigantische varens en epifyten. Tot de zeldzame diersoorten behoren de opvallende blauwe, groene en rode Portoricaanse papegaaien (*Amazonia vittata*), een van de tien meest bedreigde soorten ter wereld, evenals de bedreigde Portoricaanse boa constrictor. Het bos herbergt tevens 13 soorten *coqui*, of boomkikkers, die bekend zijn vanwege hun opvallende geluid, en vleermuizen, hagedissen en 50 soorten vogels.

WAT IS HET?
Een subtropisch regenwoud.
HOE KOM JE ER?
Internationale lijnvluchten naar San Juan.
DE BESTE TIJD
Het hele jaar. Hoogseizoen: december tot april. Orkaanseizoen: mei tot november (hoogtepunt tussen augustus en oktober).
DICHTSTBIJGELEGEN STAD
San Juan (40 km).
MAG JE NIET MISSEN
El Portal Rainforest Centre en Luquillo Beach.

Archipié-lago de los Roques

Het Parco Nacional Archipiélago de los Roques is een van de grootste zeereservaten ter wereld – het ligt 145 km ten noorden van La Guaira, de haven van Caracas. Zo'n 50 koraaleilandjes en zandbanken liggen hier in een enorme ovaal om een lagune, maar alleen vanuit de lucht krijg je een goed idee van de schaal: het is net zo groot als alle Maagdeneilanden bij elkaar.

De kwetsbaarheid van de eilanden en hun ecosysteem is natuurlijk groot. Gelukkig worden ze tegen de sterke oostelijke stroming beschut door een 24 km lang koraalrif dat van noord naar zuid loopt, en een 32 km lang rif van oost naar west. Ze worden al sinds 1972 beschermd en vormen een ongerepte eenheid waar alleen de zeer geïnteresseerde bezoekers naartoe gaan, in hun eigen jacht om eenzaamheid en rust te zoeken, of in groepjes met vliegtuigjes voor een dagje vanuit Caracas of een andere stad op het Venezolaanse vasteland. De eilandbewoners, afstammelingen van de 110 gezinnen die begin 19e eeuw van Isla de Margarita kwamen om zich hier als vissers te vestigen, wonen allemaal op El Gran Roque, 'de grote rots'.

Cayo de Agua.

Ze verwelkomen je als tijdelijke familieleden en je zult merken dat ze, naast hun goede manieren en gastvrijheid in oude stijl, ook oude methoden gebruiken om kreeften, kroonslakken en Spaanse makrelen te vangen. Als je niet op een boot zit, eet je de vangst van de dag vermoedelijk in een van de 66 posadas (familie-eettentjes) die over het eiland verspreid liggen, maar allemaal binnen 100 m van het strand. De schoonheid van Los Roques zelf is alle tinten blauw en groen, en het delen in het natuurlijke ritme van een totaal onbedorven, geïsoleerd ecosysteem.

Parque Nacional Natural Tayrona

Aan de noordwestelijke kust van Colombia strekt het nationale natuurpark Tayrona zich over een lengte van 85 km uit: een grotendeels ongerept en prachtig kustgebied waar je apen, leguanen en slangen in hun natuurlijke leefomgeving kunt zien. Het park beslaat 185 km^2 van de Caribische Zee en 735 km kustlijn en verheft zich tot 960 m boven zeeniveau, waardoor je een schitterend uitzicht hebt op de omringende heuvels en de maagdelijke stranden. Hier kom je vooral om je te ontspannen en te zwemmen in het beschermde azuurblauwe water. Als je inspiratie krijgt, kun je altijd een bezoek brengen aan Pueblito – een archeologisch inte-

ressante plek – en zijn bijzondere inheemse bevolking.

Parkbezoekers wandelen over de schitterende paden naar de monding van de rivier Piedras, naar de prachtige stranden Cabo San Juan de Guia, Arrecifes, de schelpenbaai of naar de Chenguebaai.

Het park bestaat uit een tropisch woud, grassavannen (*llanos*) en een geweldige reeks koraalriffen die krioelen van de zeedieren. Voor meer dan 100 soorten landzoogdieren en vogels, van het gewone hert tot de ongrijpbare harpij, is het park ook een thuis.

Milieubescherming wordt hier zeer serieus, daarom mag je alleen overnachten in een tent of in 'ecohabs': milieuvriendelijke huisjes in de lokale bouwstijl die deze plek extra charme geven. Als je liever buiten verblijft, kun je op de populaire El Cabo-camping een hangmat ophangen en schommelen in een zeebriesje.

Het strand van Cabo San Juan de Guia.

Een Galapagos-landleguaan.

Galápagoseilanden

Ecuadors Galápagoseilanden, een kleine archipel rond de evenaar op 970 km ten westen van de Zuid-Amerikaanse kust, zijn het bekendst vanwege het feit dat Charles Darwin op basis van de bestudering van de inheemse fauna daar zijn beroemde evolutietheorie ontwikkelde. De archipel bestaat uit dertien grote en meer dan veertig kleine eilanden die allemaal een vulkanische oorsprong hebben.

Op het land kun je leguanen en reuzenschildpadden zien, en tot de vogels die hier nestelen behoren maskergenten, blauw- en roodvoetrotspelikanen, albatrossen, Galapagosaalscholvers, rode flamingo's,

Amerikaanse fregatvogels, Galapagospinguïns en de vogels die bekendstaan als Darwinvinken. Naast een overvloed aan vissen in het water op de eilanden en tussen de riffen eromheen vind je er ook zeedieren als de Galapagoszeeleeuw, otters en zeeleguanen.

Ondanks het feit dat de eilanden op de Werelderfgoedlijst van de Unesco staan en een beschermd natuurreservaat vormen, worden ze bedreigd door een snelgroeiende bevolking; naast overbevissing zorgde die voor de invoering van dieren als geiten, katten en honden. De regering van Ecuador heeft strikte toegangsregels voor toeristen opgelegd om te voorkomen dat een overmaat aan bezoekers de eilanden en de natuur die ze wil bezichtigen, vernietigt – elke groep moet begeleid worden door een gids die in het bezit is van een certificaat van de parkautoriteiten.

WAT IS HET?
Een indrukwekkende vulkanische archipel en een van 's werelds belangrijkste beschermde gebieden.
HOE KOM JE ER?
Per vliegtuig vanuit Quito of Guayaquil.
DE BESTE TIJD
Het hele jaar door.
DICHTSTBIJGELEGEN STAD
Guayaquil (ruim 1000 km).
MAG JE NIET MISSEN
De kolonies nestelende vogels.
WAT JE MOET WETEN
Bezoekers mogen alleen met een erkende gids op de eilanden komen.

Volgende pagina's:
Zeeleeuwen op het strand
van Gardner Bay

Een reuzenschildpad.

109

Nevelwouden in de Andes

De mysterieuze nevelwouden van Peru vind je alleen op hoogtes tussen de 1500 en 3000 m; op hoge bergen waar jaarlijks 50 tot 1000 cm neerslag valt. De verwrongen, onvolgroeide bomen met spookachtige slierten van epifyten en korstmossen aan hun takken zijn permanent in nevelen gehuld. Dit is een uniek ecosysteem voor duizenden soorten, waarvan zo'n 80 procent nog steeds niet in kaart is gebracht. Alleen al van orchideeën vind je hier meer dan 1000 soorten. Bovendien huisvesten de nevelwouden meer dan 30 procent van de 272 inheemse Peruaanse zoogdieren, vogels en kikkers.

De benaming 'watertorens van de natuur' is zeer toepasselijk: het woud is een vitale bron van puur water. De bladeren van de bomen en varens halen vocht uit de mist en druppelen dat in een gelijkmatig tempo op de doordrenkte, turfachtige grond, waardoor ze bijdragen aan een regelmatige, gecontroleerde watervoorziening aan de rivieren lager op de bergen. Het bos beschermt de waterscheiding door gronderosie te voorkomen en water te verzamelen. Zowel klimaatverandering als menselijke inmenging vormt een bedreiging met – nog los van het verlies aan leefgebieden voor duizenden planten- en diersoorten – potentieel rampzalige gevolgen voor de watervoorziening.

Het gigantische (1.532.806 ha) werelderfgoed en nationale park Manú is opgericht om de resterende Peruaanse nevelwouden te beschermen. Manú is een droomwereld voor mensen die graag vogels en andere dieren bekijken – je vindt er een ongelooflijke soortenrijkdom. Zo kom je hier de rode rotshaan – de helder

WAT IS HET?
Een bosgebied waar je naar vogels en andere dieren kunt kijken.
HOE KOM JE ER?
Per vliegtuig naar Lima en dan een binnenlandse vlucht of per auto naar Cusco. Van daaruit is het 7 uur rijden naar Paucartambo.
DE BESTE TIJD
Wanneer dan ook, maar tussen juni en september valt de minste neerslag
DICHTSTBIJGELEGEN STAD
Paucartambo ligt 35 km van Ajunaco Pass: de ingang van het nationale park Manú.
WAT JE MOET WETEN
Er worden voortdurend nieuwe soorten ontdekt. De meest recente is een knaagdier dat 's nachts leeft en ongeveer het formaat van een eekhoorn heeft (*Isothrix barbarabrownae*).

Een rode rotshaan-mannetje.

113

scharlakenrode nationale vogel van Peru – tegen, maar ook bergtoekans, quetzals, kolibries en een scala aan vlinders die je nog nooit gezien hebt. Naast vele andere zoogdieren wonen er in het park ook brilberen, wolapen en bruine kapucijnapen, reuzenotters en jaguars.

Hoewel deze unieke, romantische en kwetsbare wereld slechts 2,5 procent van het tropische regenwoud uitmaakt, is de ecologische betekenis ervan onmetelijk.

Een Peruviaanse geelstaartwolaap.

Het centrale Amazonegebied

Het Amazonegebied is het grootste tropische regenwoud op aarde; een streek van een ongeëvenaarde diversiteit met meer dan 150.000 plantensoorten, 75.000 boomsoorten en 2000 verschillende vogels en zoogdieren. Een groot deel ervan is nog steeds niet in kaart gebracht – gek genoeg weten we minder over het regenwoud dan over de oceaandiepten. 'De longen van

WAT IS HET?
Het grootste tropische regenwoud op aarde.
HOE KOM JE ER?
Met een (inter)nationale vlucht naar Manaus.
DE BESTE TIJD
Wanneer dan ook – het is het hele jaar heet en regenachtig.
DICHTSTBIJGELEGEN STAD
Manaus ligt 16 km van de Encontra Das Aguas.
MAG JE NIET MISSEN
Het bekken van de Rio Negro, het grootste gebied met zwart water ter wereld, en de watervallen van de rivier Carabinani: allebei te vinden in het nationale park Jaú.
WAT JE MOET WETEN
Amazonia produceert 20 procent van de zuurstofvoorraad op aarde, maar wordt zwaar bedreigd. Van de 10 miljoen of meer inheemse mensen die hier ooit in harmonie met hun omgeving woonden en werkten, zijn er nog slechts 200.000 over.

Blauwvoorhoofd-amazonepapegaai.

115

de aarde' bestrijken verschillende landen en in Brazilië is 2.272.000 ha ondergebracht in het nationale park Jaú.

De gebruikelijke route gaat per boot over de Río Negro; het water van deze rivier is zwart door verteerd organisch materiaal en ijzer. Na de Amazone is dit de langste rivier ter wereld. Ze ontmoeten elkaar bij de Encontra Das Aguas ('samenloop van water'), waar het bleke water van de Amazone en het donkere water van de Río Negro in twee aparte kanalen naast elkaar stromen. Over water dat tot 12 m diep is, kom je achtereenvolgens door de donkere, overstroomde *igapó*: een mysterieus bos waar vreemde epifyten zich vastklampen aan de bomen en de dieren ingewikkelde overlevingsstrategieën hebben ontwikkeld; de *varsea* – een drijvend vegetatie-mozaïek waar het water ontelbare elektrische vissen, de bedreigde lamantijnen en rivierdolfijnen bevat; en de *terra firme* – boven de waterlijn – waar je tussen de enorme tropische bomen sporen van wilde zwijnen, jaguars en gordeldieren kunt zien.

Wanneer je over deze brede, langzaam stro-mende rivier langs jungleachtige oevers met een wirwar aan klimplanten onder een intens groen en 45 m hoog bladerdak glijdt, moet je wel over-weldigd raken als je beseft welke primitieve krachten vorm hebben gegeven aan de evolutie. Je ziet planten in alle denkbare vormen en maten, en flitsen felle, iridiserende kleuren van vlinders en vogels; je hoort de echo's van vogel- en dieren-geluiden in de jungle, waardoor er soms rillingen over je rug lopen. Een tocht door het regenwoud van de Amazone verandert je leven voor altijd.

Varen op de Ariaurivier bij zonsondergang.

Parque Nacional das Emas

WAT IS HET?
Tropische savanne (*cerrado*).

HOE KOM JE ER?
Over de weg is het vanuit Brasilia 700 en vanuit Goiânia 500 km naar Chapadao do Céu.

DE BESTE TIJD
Tussen april en oktober, om de verschroeiende hitte te vermijden.

DICHTSTBIJGELEGEN STAD
Chapadeu do Céu (26 km).

WAT JE MOET WETEN
Binnenkomen is niet makkelijk, dus je moet wel vastbesloten zijn. Er zijn geen verharde wegen en je hebt een vergunning nodig om het park te betreden (verkrijgbaar bij het toeristenbureau in Chapadao do Céu).

Volgende pagina's: Een tamandoea of zuidelijke boommiereneter.

Een nieuwe dag breekt aan op de savanne van Emas National Park.

Het afgelegen nationale park Emas is een spectaculaire savanne (*cerrado*) van 131.868 ha in het midden van Brazilië. Samen met het noordelijker gelegen Chapada dos Veadeiros is het onder de naam Cerrado Protected Areas een biosfeerreservaat van de Unesco.

Het granieten plateau, dat in hoogte varieert van 400 tot 1000 m, heeft een magnifiek cerradolandschap – veranderende lucht zover je zien kan boven glooiend grasland. De vlakte is bezaaid met riode termieten- heuvels en doorsneden met dramatische kloven, rivieren en heldere, snelstromende beken met hoge watervallen en poeltjes van zwart water.

Het park maakt deel uit van het grote cerradoplateau dat de bekkens van de Amazone en de Paraná scheidt. Over de vlaktes lopen de hoofdstromingen van de Ara- guaia, Formosa en Taquari en hun zijrivieren, die allemaal een eigen weg naar de Atlantische Oceaan vinden.

Dit is een plek voor hardcore natuurliefhebbers. Grote zoogdieren – troepen apen, reuzenmiereneters, tapirs, capibara's, gordeldieren, wilde honden, manenwolven, vossen, kuddes herten, poema's en ocelotten; in totaal 87 soorten – grazen vrijelijk op een vlakte die vergelijkbaar is met de savannes van Oost-Afrika. Met meer dan 350 soorten is het ook een paradijs voor vogelaars; je ziet er onder andere aplomadovalken, konijn- of holenuilen, geelmaskerpapegaaien en ara's.

De surrealistische termietenheuvels van soms wel 2 m hoog worden door allerlei dieren als schuilplaats ge- bruikt, onder andere door de larven van de *cumpinzeiro*: een lichtgevende kever. Misschien heb je geluk en ben je 's nachts getuige van een bijzonder natuurverschijnsel als het landschap na regen wordt getransformeerd doordat deze insecten in groten getale naar buiten kruipen en de termietenheuvels veranderen in kerstbomen.

De Pantanal

Het veehoudersgebied de Pantanal is het grootste wetland ter wereld. De diversiteit en overvloed aan vegetatie en dierenleven hier zijn vergelijkbaar met die van de Amazone en het is een van de belangrijkste ecosystemen op aarde.

De Pantanal is een komvormige laagvlakte van ca. 150.000 km^2 in het middenwesten van Brazilië met twee grote rivierenstelsel: die van de Río Paraguay en Río Cuiabá. In feite is de streek een massieve binnenlandse delta. Tijdens het regenseizoen treden de rivieren buiten hun oevers en overstroomt 80 procent van de omringende alluviale vlakte, die daardoor voedsel biedt aan de grootste verzameling waterplanten ter wereld. Deze vormen drijvende eilandjes, *camalotes*, waarop dieren en vogels tussen de vegetatie beschutting zoeken tegen het water.

De streek herbergt 75 zoogdiersoorten, waaronder de manenwolf, de reuzenmiereneter en het grootste knaagdier ter wereld, de capibara, die wel 60 kilo kan wegen. Ook vind je er vijf soorten brulapen, reuzenotters, pekari's, tapirs, herten en de incidentele jaguar. Er zijn meer dan 300 soorten vis, en kaaimannen liggen schaamteloos te luieren op de met gras begroeide rivieroevers. Tevens tref je er talloze

hagedissen, kameleons, landschildpadden, boa
constrictors en anaconda's. Met meer dan 600 soorten
is de streek een paradijs voor vogelaars – je kunt er de
jabiroe of reuzenooievaar met zijn opvallende rode
krop, witte veren, zwarte kop en lange dunne poten
tegenkomen, maar ook ara's, toekans, adelaars,
nandoes en talloze watervogels.

Het baart natuurbeschermers grote zorgen dat zo'n
vitale ecologische streek grotendeels onbeschermd
privébezit is en gebruikt wordt door veeboeren en
ecotoeristen. Je kunt overnachten op een van die
ranchos en per kano of op de rug van een paard door
de moerassen van de Pantanal trekken om wilde
dieren en vogels te bekijken of te gaan vissen.

Volgende pagina's:
Pantanal Matogrossense
National Park.

Een reuzentoekan
(Ramphastos toco).

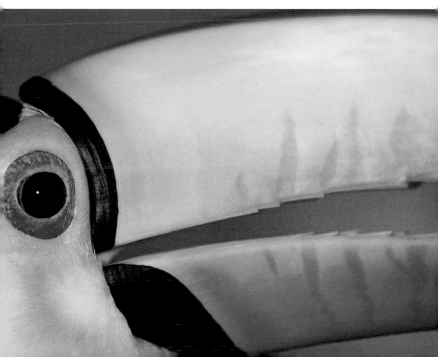

Fernando de Noronha

WAT IS HET?
Een Braziliaanse archipel van 21 eilanden: een ongerept ecosysteem in het klein.

HOE KOM JE ER?
Met het vliegtuig vanuit Recife of Natal op het vasteland.

DE BESTE TIJD
Het droge seizoen, van september tot maart. December en januari zijn het drukst.

DICHTSTBIJGELEGEN STAD
Natal (360 km)

MAG JE NIET MISSEN
Langsnuitdolfijnen in de dolfijnenbaai.

WAT JE MOET WETEN
Je hebt een vergunning nodig om de andere eilanden van de archipel te bezoeken.

De archipel van 21 eilanden, waartoe Fernando de Noronha behoort, is met recht een tropisch paradijs te noemen. Dit gebied is een van de belangrijkste reservaten ter wereld en werd in 2001op de Wereld-erfgoedlijst van Unesco geplaatst.

De groene bergen en steile kliffen van het schijnbaar midden in de Atlantische Oceaan liggende Fernando de Noronha, steken in al hun tropische glorie boven de zee uit. Het water is een paradijs voor duikers en bevat veel soorten vis, waaronder reuzenmanta's (roggen), citroenhaaien en langsnuitdolfijnen.

Elke morgen verzamelen zich in de baai met de toepasselijke naam Baía dos Golfinhos (dolfijnenbaai) meer dan duizend langsnuitdolfijnen om in de ochtendzon te dartelen. Ook zeeschildpadden zijn hier overvloedig aanwezig; zij gebruiken een groot deel van de brede, afgesloten stranden als broedplaats voor hun eieren.

Van de 21 eilanden is alleen Fernando de Noronha bewoond. Om beschadigingen aan de natuur te voorkomen, mogen er per keer maar 420 bezoekers het eiland op. Verspreid over het ongerepte landschap, waarvan 70 procent natuurpark is, ligt hier en daar een beperkt aantal pensions die bijna altijd volgeboekt zijn.

Het eiland heeft een vlakke kust tegenover Brazilië en een meer rotsachtige en woestere kustlijn die uitkijkt over de Atlantische Oceaan. Het eiland wordt in tweeën gedeeld door één weg die van Baía do Sueste naar de oostelijke havenplaats Baía Santo Antonio loopt, dicht bij Vila dos Remedios waar het grootste deel van de bevolking woont. Hier vind je het stadhuis, een kerk, het postkantoor, een duikwinkel en een café. Vila do Trinta, op een kleine heuvel, heeft een paar restaurants, een drogisterij en een kruidenier.

Het meest indrukwekkende bouwwerk van Vila dos Remedios is het Forte dos Remedios, een afbrokkelende herinnering aan de Portugese overheersing uit 1737. De eeuwenoude kanonnen zijn half begraven, de muren staan op het punt van instorten. Aan het eind van een klinkerstraatje vind je ook een vaag geelwitte barokkerk, de Igreja Nossa Senhora dos Remedios uit 1772, evenals het helderrode koloniale Palacio São Miguel.

De omringende eilanden worden gekarakteriseerd door hun verschillende vormen. Zo is Meio, dat op een soort omgekeerde piramide lijkt, een duidelijk oriëntatiepunt voor schippers en is buurman Sela Gineta herkenbaar aan zijn zadelvorm. Chapéu do Sueste wordt wel vergeleken met een paddenstoel en van Ilha do Frade wordt beweerd dat het op een klok lijkt; niet alleen vanwege de vorm, maar ook door het geluid dat de golven maken die tegen de rotsen slaan. Morro do Leão doet denken aan een zeeleeuw en de twee indrukwekkende vulkaaneilanden Dois Irmãos zouden op vrouwenborsten lijken.

Het strand van Cacimba do Padre.

Een prachtig uitzicht over het regenwoud in het Noel Kempff Mercado National Park.

Parque Nacional Noel Kempff Mercado

Dit uitzonderlijke en zeer indrukwekkende biologische reservaat, genoemd naar een beroemde Boliviaanse bioloog, beslaat een oppervlak van 914.000 ha afgelegen wildernis in het noordoosten van Bolivia. Het is een van de meest ongerepte stukken land in het Amazonebekken en tevens een van de gebieden met de grootste biodiversiteit ter wereld. Het decor is adembenemend – bijzondere landschappen, uitgestrekte rivieren en

indrukwekkende watervallen.

Een bezoek aan dit park is een fantastisch eco-avontuur. Alleen van de omvang van deze wilde *cerrado* (de enige maagdelijke streek van dit rijke savannelandschap dat nog over is in de wereld) sla je al steil achterover – brede rivieren met vreemd vergroeide bomen op hun oevers doorsnijden de savanne en geweldige watervallen storten zich met veel geraas in de beken en krekcn van het regenwoud. Het terrein varieert in hoogte van 200 tot 1000 m en omsluit vijf verschillende ecosystemen. Het is een toevluchtsoord voor dieren die in de rest van de Amazone grotendeels verdwenen zijn. Je vindt hier meer dan 130 zoogdiersoorten, waaronder zeldzame rivierotters en -dolfijnen, slinger- en brulapen, manenwolven, reuzengordeldieren en een bedreigde populatie van zwarte panters. Tot dusver hebben biologen rond de 4000 soorten bloemen (waaronder alleen al 110 orchideeënsoorten), minstens 620 soorten vogels, 70 verschillende reptielen, een paar van de meest zeldzame insecten ter wereld en een ongelooflijke populatie van vlinders in alle kleuren en maten in kaart gebracht.

De oorsprong van het park loopt miljarden jaren terug, tot het Precambrium. Door de geïsoleerde ligging en soortenrijkdom is het een ideale plek voor biologisch onderzoek naar de evolutie van ecosystemen. Nergens anders in Zuid-Amerika kun je met zo weinig inspanning zoveel planten- en diersoorten en leefgebieden zien.

WAT IS HET?
Een veelzijdige wildernis, door de Unesco uitgeroepen tot 'Natural Patrimony of Humanity'.

HOE KOM JE ER?
Per vliegtuig naar Santa Cruz. Dan per vliegtuig of auto 600 km naar Flor de Oro (aan de noordzijde van het park) of Los Fierros (aan de zuidzijde).

DE BESTE TIJD
Het ideale seizoen loopt van oktober tot december.

MAG JE NIET MISSEN
Het indrukwekkende Caparú-plateau – een *mesa* (tafelberg) van zandsteen uit het Precambrium die vanuit het regenwoud recht de lucht in schiet; een van de plekken waarvan beweerd wordt dat het als inspiratie heeft gediend voor het boek *De verloren wereld* van Sir Arthur Conan Doyle.

WAT JE MOET WETEN
Vanwege de afgelegen ligging brengen maar heel weinig mensen een bezoek aan dit park. Afhankelijk van je overnachtingplaats kom je het park aan de noord- of zuidzijde (zie hierboven) binnen.

Lauca

Het biosfeerreservaat Lauca ligt op de Altiplano: de grootste hoogvlakte ter wereld buiten Tibet en een van de mooiste streken van Chili. Het reservaat bevat drie beschermde gebieden – het nationale park met dezelfde naam, het nationale reservaat 'Las Vicuñas' en het natuurmonument 'Salar de Surire' – en beslaat een oppervlakte van 358.312 ha langs de grens met Bolivia.

De Altiplano, die tussen de 3250 en 4100 m boven zeeniveau ligt, scheidt de Atacamawoestijn van het Amazonebekken. Dit is het thuisland van een terug-lopend aantal lama- en alpacaherders – de nazaten van een herdersgemeenschap van Aymará-indianen wier cultuur een rijke traditie van muziek en festivals kende. De talrijke archeologische bezienswaardigheden hier getuigen van een duizenden jaren oude beschaving.

Het terrein wordt doorsneden door diepe kloven met snelstromende rivieren en beken; het is bezaaid met lagunes, lava-afzettingen, brakke moerassen en glinste-

rende zoutpannen tegen een achtergrond van actieve en slapende vulkanen. Drie verschillende plantensoorten overleven hier: struiken en cactussen, altijd groeiend gras (*Andropogon gayanus* of *paja brava*) dat gebruikt wordt als stro, en *llareta*: een scherpe kussenplant die slechts 1mm/jaar groeit en traditioneel als geneesmiddel en brandstof gcbruikt wordt. Er leven 130 soorten vogels, waaronder Andesmeeuwen en condors, en 21 zoogdiersoorte. In Salar de Surire, een uitgestrekt zoutmoeras, vind je talloze zeldzame planten en dieren, waaronder drie soorten flamingo's.

Een van de mooiste plekken in Lauca is Lago Chungará: een smaragdgroen meer dat 8000 jaar geleden is gevormd toen door een grote uitbarsting 6 km³ vulkaanpuin als een lawine naar beneden kwam. Of Chungará nu inderdaad het hoogstgelegen (ruim 4500 m) meer ter wereld is (zoals de lokale bevolking beweert) of niet: met de adembenemende uitzichten op de Nevados de Payachata (twee vulkanen met perfect symmetrische en besneeuwde kegels) is het een spectaculaire plek.

DICHTSTBIJGELEGEN STAD
Putre (12 km).
MAG JE NIET MISSEN
Lagunas de Cotacotani die onderling door kanalen en watervallen verbonden zijn en waarin de lucht in prachtige kleuren wordt gereflecteerd.
WAT JE MOET WETEN
Je stijgt hier tot grote hoogte, dus je moet jezelf de tijd gunnen om te acclimatiseren en hoogteziekte te vermijden.

Mount Parinacota gezien vanaf Lago Chungará.

Torre del Paine

Noem Torre del Paine bij een doorgewinterde wandelaar en de kans is groot dat hij zich verliest in dagdromen. Dit nationale park in het uiterste zuiden van Chili is al lang een legendarische bestemming onder trekkers. De 'torens' waar het park zijn naam aan dankt – een groep van 2600 meter hoge granieten pilaren die midden in het park het Painemassief vormen – zijn het karakteristieke beeld van Patagonië geworden. Er zijn hier genoeg uiteenlopende voorbeelden van elementaire natuur om de meest bereisde bezoeker tevreden te stellen: ruige berglandschappen, donderende rivieren in diepe valleien, weidse steppes en dichte loofbossen. En de uiterst zuidelijke ligging zorgt voor een magistrale bonus: reusachtige gletsjers en meren met drijvende brokken glinsterend blauw ijs ter grootte van een huis. De meest toegankelijke is de Greygletsjer met het bijbehorende meer, hoewel het nog altijd een dagtocht vergt om de voet van de gletsjer te bereiken.

Het natuurschoon in dit nationale park maakt haar reputatie volledig waar. Dat betekent wel dat het er in de zomermaanden erg druk kan zijn met trekkers. De meeste wandelaars komen voor de 'W', een van 's werelds klassieke trektochten. De naam komt van de

W-vorm van de route, zoals die wordt aangegeven op de kaart. Het kost vier à vijf dagen om de 'W' af te leggen. Door het hele park zijn goede kampeerterreinen en berghutten. De route voert langs een aantal fantastische uitkijkpunten (miradores) en de Valle Francés, een vallei met steile wanden en spectaculaire bergpanorama's aan beide zijden. Als je genoeg tijd en uithoudingsvermogen hebt, is de Circuit Trail een aanrader (zeven tot tien dagen). Deze route neemt je mee langs de achterkant van de bergpieken en voert je weg van de menigte.

De steile granieten torens – cuernos (hoorns) genoemd – torenen boven het smaragdgroene Pehoemeer uit.

Parque Nacional Los Glaciares

WAT IS HET?
Gletsjers.
HOE KOM JE ER?
Per vliegtuig naar de internationale luchthaven El Calafate, of over de weg vanuit Río Gallegos.
DE BESTE TIJD
Van oktober tot april. Januari en februari is hoogseizoen.
DICHTSTBIJGELEGEN STAD
El Calafate (40 km).
MAG JE NIET MISSEN
De grotten van Walichu en het versteende bos La Leona. Op slechts één dag reizen, aan de andere kant van de grens met Chili, ligt het biosfeerreservaat Torres del Paine.

Het werelderfgoed Parque Nacional Los Glaciares bevibd zich op de zuidelijke Patagonische ijskap – na Antarctica en Groenland de grootste continentale ijsvlakte ter wereld. Los Glaciares strekt zich uit over een lengte van 170 km langs de Chileense grens en meer dan eenderde ervan is bedekt met ijs; 445.900 ha droge steppe, kleurige beukenbossen, gletsjermeren en de torenhoge bergen van de Andesijskap.

Die ijskap is de bron van 47 grote gletsjers; je vindt hier ook rond de 200 kleinere die niet verbonden zijn. Normaal gesproken zie je gletsjers pas boven 2500 m. Hier liggen ze echter – en dat is uniek – op slechts 1500 m boven zeeniveau en zijn dus makkelijk te bereiken.

In het park liggen ook twee enorme meren: Lago Argentino (met 1560 km^2 het grootste meer van Argentinië) in het zuiden en Lago Viedma in het noorden. Rond die watermassa's tref je een aantal extreme natuurverschijnselen aan. Lago Viedma wordt gedomineerd door de indrukwekkende granieten pieken van het massief rond Monte Fitz Roy: enorme puntige rotswanden die boven het bos uittorenen. De berg, die ook bekend is onder de naam Cerro Chaltén (rokende berg) vanwege de wolken die rond de top cirkelen, heeft bij bergbeklimmers de reputatie 'het einde' te zijn. Niet zozeer omdat hij met zijn 3375 m zo bijzonder hoog is, maar meer vanwege de steile granieten wanden.

Aan een kant van het Lago Argentino kun je, op het kruispunt van de gletsjers Onelli, Upsala en Spegazzini, geweldig natuurspektakel zien. Samen met de enorme, 5 km brede Perito-Morenogletsjer glijden ze de ijskap af (en eroderen ondertussen de berg) om met een overweldigend krachtsvertoon kolossale ijsbergen in het melkachtige water van het meer uit te storten.

Volgende pagina's:
Perito Moreno-gletsjer.

De Upsala-gletsjer.

EUROPA

De aurora borealis

WAT IS HET?
Een opwindend atmosferisch vuurwerk.
HOE KOM JE ER?
Om de aurora borealis in IJsland te zien, neem je het vliegtuig naar Reykjavik.
DE BESTE TIJD
Tussen oktober en maart, maar de beste tijd is de late herfst.
DICHTSTBIJGELEGEN STAD
Zorg dat je zo ver mogelijk van een stad bent om zo min mogelijk lichtvervuiling te hebben.
MAG JE NIET MISSEN
De Haukadalurvallei met de Stóri Geysir, 193 km ten noordoosten van Reykjavik.
WAT JE MOET WETEN
Op internet zijn 'voorspellingen' over de aurora te vinden (zoek op 'spaceweather'). Een groot deel van de zomer wordt de IJslandse lucht niet donker genoeg om een aurora te kunnen zien.

De aurora borealis – het noorderlicht – is de eigen lichtshow van de natuur, een flikkerende stroom van gekleurd licht aan de avondhemel. De schoonheid van de aurora ligt ten dele in haar kortstondigheid. Verder is het nooit zeker dat je iets te zien krijgt en evenmin wat je precies krijgt voorgeschoteld. De ene keer is een aurora een teleurstellende zwart-witte wolk, de andere keer een enerverend en psychedelisch gordijn van kleuren.

Dit opmerkelijke sciencefictionachtige fenomeen heeft een even opmerkelijke achtergrond. Het doet zich voor als elektrisch geladen deeltjes, die met snelheden tot wel 1200 km per seconde door een zonnewind worden meegevoerd, in het magnetische veld van de aarde terechtkomen. De deeltjes worden aangetrokken door de polen en komen in de ionosfeer in aanraking met atmosferische gassen. Hierdoor ontstaan fotonen, lichtdeeltjes die rood, groen, blauw en violet opgloeien en voor een flikkerende avondhemel zorgen. Op het noordelijk halfrond heet dit verschijnsel aurora borealis, op het zuidelijk halfrond aurora australis.

Een aurora doet zich

boven de polen voor in wat een poollichtgordel wordt genoemd. Bij een sterkere zonnewind worden deze gordels verder in de richting van de evenaar gedrongen, maar de meeste zijn alleen op breedtegraden hoger dan 65 te zien – zoals op IJsland.

Een aurora kun je het beste op heldere, donkere winteravonden en uit de buurt van kunstlicht bekijken. Het licht van een aurora is doffer dan dat van de sterren, dus als je de sterren al niet kunt zien, zal dit hoogstwaarschijnlijk ook voor de aurora gelden.

Het magische noorderlicht fonkelt boven het schiereiland Reykjanes.

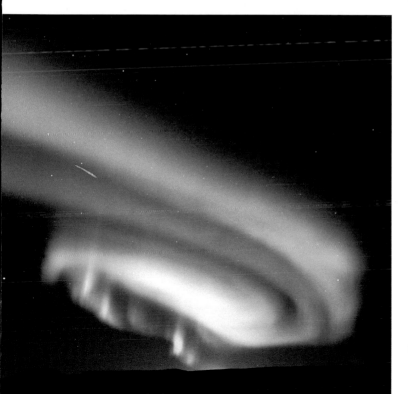

141

De Maelifell rijst op uit de vlakte van vulkanisch as.

De Maelifell

In een land dat rijk is aan bijzondere vulkanen is de Maelifell een van de meer aparte. De ongewoon symmetrische vulkaan werd gevormd door een eruptie onder de Myrdalsjökull-gletsjer in Zuid-IJsland en staat te midden van een kale aswoestijn. De kegel bestaat uit tufsteen, een mengsel van verharde as en andere vulkanische stoffen, en torent circa 200 m boven het omliggende terrein uit.

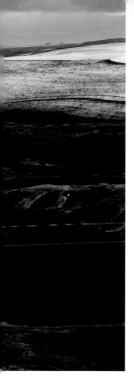

Ongeveer 10.000 jaar geleden begon de Myrdalsjökull – de zuidelijkste en op drie na grootste gletsjer van IJsland – zich eindelijk terug te trekken van de Maelifell, waardoor de puntige top aan de zon werd blootgesteld en de geheimzinnige vulkaan zich in een mantel van mos kon hullen. Dit mos – grimmia – behoort tot de 500 mossoorten die een groot deel van de 1300 vrij saaie plantensoorten op IJsland uitmaken. Grimmia gedijt op een lavabodem en kan opvallend genoeg verschillende kleuren hebben. Op een droge bodem heeft het mos een vrij onopvallende zilvergrijze kleur, maar op een vochtige bodem – zoals op de Maelifell – is het felgroen.

Rond de Maelifell strekt de stoffige Maelifellsandurwoestijn zich uit en langs de voet van de vulkaan stroomt een vlechtwerk van rivieren en stroompjes met smeltwater van de Myrdalsjökull. Het lijkt wel een landschap uit een andere wereld, dat bewaakt wordt de machtige groene kegel van de Maelifell.

De Maelifell is al 10.000 jaar niet meer tot uitbarsting gekomen, wat zelfs voor de meest conservatieve vulkanoloog lang genoeg is om te stellen dat hij is uitgedoofd. Een stukje zuidelijker ligt echter een actieve vulkaan nog altijd onder het ijs van de Myrdalsjökull. De Katla is voor het laatst in 1918 uitgebarsten en volgens experts is een nieuwe eruptie niet ondenkbaar.

WAT IS HET?
Een vulkaankegel.
HOE KOM JE ER?
De busrit van Reykjavik naar Kirkjubaejarklaustur duurt vijf uur.
DE BESTE TIJD
Van de lente tot de herfst.
DICHTSTBIJGELEGEN STAD
Kirkjubaejarklaustur.
MAG JE NIET MISSEN
De 62 m hoge Skogafoss-waterval in Skogar.
WAT JE MOET WETEN
Je kunt de Maelifell alleen te voet of met een terreinauto bereiken.

143

De Geirangerfjord

WAT IS HET?
Simpelweg de mooiste fjord ter wereld.
HOE KOM JE ER?
Ga naar Ålesund en rijd daarna via de Årneveien naar Geiranger.
DE BESTE TIJD
Mei tot september.
DICHTSTBIJGELEGEN STAD
Geiranger.
MAG JE NIET MISSEN
De Gouden Route, een fantastische autorit die je via haarspeldbochten bij de hoogste verticale rotswand van Europa brengt: de Trollveggen. Breng ook een bezoek aan het eiland Runde, een vogelreservaat met meer dan een half miljoen zeevogels.
WAT JE MOET WETEN
De Geirangerfjord is een van de populairste toeristische attracties van Noorwegen.

De Geirangerfjord wordt beschouwd als het schoolvoorbeeld van een fjord. De meest pittoreske onder de fjorden ligt in een sprookjesachtig gebied van buitengewone natuurlijke schoonheid. Geiranger maakt deel uit van het labyrint van fjorden langs de Noorse westkust dat zich vanaf Stavanger 500 km noordwaarts uitstrekt. Gletsjers hebben hier een gebied gevormd dat landschappelijk tot de mooiste ter wereld behoort.

De Geirangerfjord is een 15 km lange strook van diepblauw water die zich in een smal en bochtig ravijn met steile rotswanden aftakt van de Storfjord. De wanden zijn tot 1400 m hoog en loop steil af tot wel 500 m onder de zeespiegel. Her en der dondert een spectaculaire waterval naar beneden. De beroemdste zijn de tegenover elkaar gelegen Zeven Zusters en Vrijer, en de Bruidssluier, die zo wordt genoemd omdat hij in het licht van de zon doet denken aan een dunne sluier die over de rotsen sleept.

Het omliggende landschap is adembenemend: ruige, met ijs bedekte bergen, gletsjermeren en bossen met loof- en naaldbomen waardoor rivieren stromen. Aan weerszijden van de fjord staan tal van verlaten boerderijtjes. Deze herinneren aan de manier waarop de mensen in dit gebied voor de komst van het massatoerisme in hun levensonderhoud voorzagen. De vervallen boeren-woningen staan geïsoleerd aan de voet van de steilte; sommige zijn omringd door zulke steile hellingen dat ze alleen per ladder vanuit een boot te bereiken zijn. Als de boeren vroeger geen zin hadden in de belasting-ontvanger, dan trokken ze simpelweg de ladder op en lieten ze zich zo door de natuur tegen de overheid beschermen.

Rechts: Waterval de Zeven Zusters.

Volgende pagina's: Gezicht op het oostelijke deel van de Geirangerfjord.

De Lofoten

De Lofoten liggen ten westen van Noorwegen, op meer dan 67° ten noorden van de evenaar – en daarmee binnen de noordpoolcirkel. Desondanks hebben de eilanden een relatief mild klimaat, dat te danken is aan het warme water van de Golfstroom.

Er zijn vijf grote eilanden – Austvågøy, Gimsøya, Vestvågøy, Flakstadøya en Moskenesøya – en drie kleinere, Vaerøy, Røst en Vedøy. Alle eilanden zijn bergachtig, bebost en omzoomd met mooie baaien en prachtige witte zandstranden.

De wateren rond de Lofoten zijn het broedgebied van grote kolonies zeevogels, waaronder papegaai-duikers, drieteenmeeuwen, alken, grauwe franje-poten, Noordse sternen en zeearenden. Ook zeldzame

De avond valt over de Lofoten.

148

vogels als auer- en korhoenders worden soms gespot. In de zomer zwemmen potvissen voor de kust en in de herfst trekt de haring orka's naar dit gebied. Verder zijn de eilanden het leefgebied van zeehonden en otters en komen er op Austvågøy elanden voor.

Ten westen van Austvågøy ligt het 40 km lange Røstrif, een van de grootste diepzeekoraalriffen ter wereld, en voor de kust van Moskenesøya bevinden zich de draaikolken van de Maelstrom.

Vanwege de spectaculaire woestheid zijn deze eilanden populair bij bergbeklimmers en wandelaars, terwijl de prachtige kustlijnen favoriete bestemmingen van fietsers zijn. In hartje zomer zijn de eilanden zelfs nog betoverender, omdat de zon dan meer dan zeven weken boven de horizon blijft.

Het pittoreske dorpje
Reine.

De delta van de rivier de Rapa.

Nationaal park Sarek

Laponia (Lapland), dat op de Werelderfgoedlijst staat, is beter bekend onder de meer prozaïsche naam Norrbotten, Zwedens meest noordelijke provincie en van oudsher het gebied van de nomadische rendierherders, de Samen. Het is een barre, verafgelegen streek, ver boven de noordpool-cirkel, en herbergt veel gletsjermeren en laaggelegen

moerasgebieden, bergketens, ravijnen, rivieren en spectaculaire bergtoppen. Het grootste gedeelte is een ongebaande wildernis, beschermd door een aaneenschakeling van nationale parken die in het westen grenzen aan Noorwegen en zich bijna tot aan Finland uitstrekken naar het oosten. Elk park wordt gekenmerkt door een specifiek landschap, maar het gezamenlijke hart is Sarek. Daar ligt de grootste concentratie hoge bergtoppen van Zweden. Van de ongeveer 250 onderscheiden bergtoppen zijn er 87 hoger dan 1800 m en acht hoger dan 2000 m, gegroepeerd in een ruwe cirkel van ongeveer 50 km doorsnee. Het park omvat bijna 100 gletsjers. Door overvloedige regenval, kan een riviertje onverwacht veranderen in een kolkende stroom. Hierdoor is het oversteken van rivieren in Sarek erg gevaarlijk; twee bruggen over de belangrijkste routeknooppunten zijn de enige twee hulpmiddelen die de hikers ter beschikking staan. Hiervan is de brug over de rivier de Smaila in het hart van het park de belangrijkste. Vanaf de buitengrens is het een wandeling van twee tot drie dagen – van Rinim door de Pastavagge; van Kisuris door de Ruotesvagge; of, de meest majestueuze route, van Aktse door het Rapadal.

Het Rapadal is Sareks hoofdslagader. De rivier Rapapaato wordt gevoed door het water van 30 gletsjers. De kleur van het water steekt helder ijsgroen af tegen het smaragdgroen van struiken op de oevers; mistsluiers omwikkelen de nabijgelegen bergtoppen en blijven hangen in bergkloven. Het is een van de mooiste streken van Europa en het is alle moeite meer dan waard om deze te gaan zien.

WAT IS HET?
Een spectaculaire Werelderfgoedstreek met 100 gletsjers en zes van Zwedens hoogste bergtoppen.

HOE KOM JE ER?
Per auto of bus van Jokkmokk naar Ritsem, vervolgens per boot over het Akkajaure-meer; of te voet via de gemarkeerde paden in Kungsleden of de Padjelantaroute door de aangrenzende nationale parken.

DE BESTE TIJD
Wanneer je maar wilt. Het noorderlicht is meestal het beste waar te nemen tussen november en februari.

DICHTSTBIJGELEGEN STAD
Kiruna 150 km

MAG JE NIET MISSEN
Laddepakte, Skarjatjakka en Skierfe zijn goed toegankelijke bergtoppen, met het beste panorama van Sarek. Let op de flora van uitzonderlijk welderig groeiende kruidachtige planten in het Rapadal en de dichte begroeiing met berken en katwilg, waardoor hier veel beren, poolvossen, lynxen, veelvraten en de regionale grote eland voorkomen.

WAT JE MOET WETEN
Sarek National Park is niet geschikt voor onervaren hikers. Professionele poolpoolonderzoekers en bergbeklimmers gebruiken dit als trainingsgebied. Sommige routes zijn redelijk goed begaanbaar (vooral in de zomer, hoewel er dan miljarden muggen zijn), maar beginners kunnen verrast te worden door omstandigheden die in luttele seconden omslaan van mild naar verraderlijk.

Volgende pagina's: Uitzicht over het Rapadal.

Het Inarimeer

Op de 69e breedtegraad, ver ten noorden van de noordpoolcirkel, ligt het op twee na grootste meer van Finland: het Inarimeer. Dit op vijf na grootste meer van Europa is eigenlijk meer een kleine zee. Het heeft een oppervlakte van circa 1000 km^2, waardoor je tegen de tijd dat je het vaak onstuimige midden bereikt hebt de oevers allang niet meer kunt zien. Meer dan de helft van het jaar is het meer helemaal bevroren. Het laatste winterijs smelt meestal in de tweede week van juni, maar zelfs op de warmste dagen bereikt de watertemperatuur met moeite de dubbele cijfers.

De Finse naam voor Finland, Suomi, betekent 'land van meren'. Met zijn 3000 eilanden is het Inarimeer net het tegenovergestelde: een 'meer van (ei)landen'. De eilanden bieden een fascinerende aanblik en nodigen uit tot uitgebreide ontdekkingstochten.

Een cruise is een populaire manier om het meer te verkennen, maar voor wie avontuurlijker is ingesteld zijn er allerlei soorten vaartuigen te huur – van motor-

bootjes tot kajaks. Ook langs de rotsige, 2776 km lange kustlijn zijn talloze ontdekkingen te doen.

In Ukonkivi vind je een oude offerplaats waar de Samen zich van een goede vangst probeerden te verzekeren. Een eventueel visoverschot werd opgeslagen in ijsgrotten die het hele jaar bevroren blijven, zoals die op Iso-Maura. Nog altijd zit er veel vis in het Inarimeer, waarvan witvis, forel en Arctische zalmforel de meest

De middernachtszon boven het Inarimeer.

Vergezicht over een mistig Inarimeer.

voorkomende soorten zijn. De aanwezigheid van vis trekt grote zaagbekken en roodkeelduikers, waarvan de spookachtige roep over het water weerklinkt.

Tussen mei en juli gaat de zon hier nooit helemaal onder, dus wie dan komt kan dag en nacht van het Inarimeer genieten. De temperatuur loopt in die periode op tot 13 °C. Maar als in november het meer weer begint dicht te vriezen, breekt de 1,5 maand durende *Kaamos*, de donkere periode, weer aan.

De Berchtesgadener Alpen

Het nationale park Berchtesgaden, dat in het uiterste zuidoosten van Beieren aan de grens met Oostenrijk ligt, is het enige nationale alpiene park van Duitsland en populair bij wandelaars en klimmers. In het park liggen de Watzmann, de op twee na hoogste berg van het land, en het prachtige gletsjermeer de Königssee. De dichtbeboste hellingen van de gletsjerdalen worden gescheiden door diepe kloven en de dalbodem is een idyllisch landbouwgebied.

De 5,2 km² grote Königssee was, zoals de naam al deed vermoeden, al populair bij de Beierse koninklijke familie en is nog altijd in trek als recreatiegebied. Rust is hier verzekerd omdat de enige gemotoriseerde boten die op het meer mogen varen elektrisch moeten zijn; dit zou het schoonste water van Duitsland zijn. Op het prachtige heldere water waarin de omliggende

WAT IS HET?
Een berggebied in het zuidoosten van Beieren.
HOE KOM JE ER?
Met de auto vanuit München.
DE BESTE TIJD
In de zomer.
DICHTSTBIJGELEGEN STAD
Berchtesgaden (5 km)
MAG JE NIET MISSEN
Het uitzicht vanaf de top van de Kehlstein.
WAT JE MOET WETEN
De zware beklimming van de Watzmann is alleen geschikt voor zeer ervaren klimmers.

Een bergweide in bloei in de Berchtesgaden Alpen.

bergen worden weerspiegeld is kanoën een populaire
bezigheid. Boven het meer verrijst de Watzmann, waar
alleen ervaren klimmers zich aan wagen.

Vanwege het alpiene landschap en de fauna, waaronder vale en lammergieren, steenarenden, gemzen,
vossen en reeën, werd het 210 km² grote nationale park in

1990 door de Unesco uitgeroepen tot biosfeerreservaat.

Een van de populairste wandelingen voert de 1835 m hoge Kehlstein op. De top van deze berg is beroemd als de locatie van Hitlers commandocentrum en het Arendsnest en biedt verder adembenemende uitzichten over het dal.

De Watzmann hoog boven het stadje Berchtesgaden uit.

Rügen

WAT IS HET?
Een eiland in de Oostzee.
HOE KOM JE ER?
Neem de trein naar
Stralsund of ga per auto.
DE BESTE TIJD
Het hele jaar door.
**DICHTSTBIJGELEGEN
STAD**
Bergen (in het midden van
het eiland).
MAG JE NIET MISSEN
'Rasender Roland', de
historische stoomtrein
tussen Putbus en de
plaatsjes Sellin en Binz.
WAT JE MOET WETEN
Rügen krijgt per jaar
100 uur meer zon dan
München.

*De imposante witte
kliffen van Nationaal
Park Jasmund.*

Het eiland Rügen ligt tegen de Duits-Poolse grens in
de Oostzee. Het eiland is maar 51 km lang en 43 km
breed, maar heeft een fantastische kustlijn die liefst
574 km lang is. De witte zandstranden met het
achterland van oude bossen en glinsterende meren
hebben Rügen tot een van de populairste vakantie-
bestemmingen van Duitsland gemaakt. Opmerkelijk is
echter dat het eiland zijn grootste natuurlijke schatten
heeft weten te behouden. Zo worden in natuurparken
drie zeldzame aspecten van de Oostzeekust en de
idyllische schoonheid van het binnenland tegen
overenthousiaste projectontwikkelaars beschermd.

Het grootste (22.500 ha) en belangrijkste is het
biosfeerreservaat in het zuidoosten van het eiland, een
gebied met schiereilanden, eilandjes, haakvormige
landtongen en zandbanken die nauwelijks onder de
ondiepe wateren schuilgaan. Tot het reservaat
behoren verder het Granitzbos, het schiereiland
Mönchgut en het eilandje
Vilm, waarvan de eiken-
en berkenbossen eeuwen-
lang onaangetast zijn
gebleven en de unieke
bezienswaardigheden
alleen op afspraak kunnen
worden bekeken.
Hiddensee, een langgerekt
eiland in het nationaal
park Vorpommersche
Boddenlandschaft aan de
andere kant van Rügen,
heeft een vergelijkbaar
landschap van duinen,
bossen, zoutmoerassen en
brakwaterlagunes die
karakteristiek zijn voor de

Oostzee. De verhouding zoet en zout water maakt deze 'Bodden' tot een belangrijk toevluchtsoord voor miljoenen trekvogels. In een van de grootste ornithologische spektakels van Europa strijken hier elke herfst circa 30.000 kraanvogels neer. De geïsoleerde wetlands van het autovrije Hiddensee zijn een habitat voor flora en fauna die tot de zeldzaamste ter wereld behoren. De scherpe noordelijke lucht laat aarde en water hier samensmelten.

Een van de mooiste wandelingen op Rügen loopt door het Jasmund-reservaat aan de oostkust. Het hoogste punt van de enige compleet witte krijtrotsen van Duitsland is de Königsstuhl (117 m). De rotsen strekken zich over 10 km uit en laten goed de effecten van kusterosie zien. Je vindt hier ook een interessant bezoekerscentrum waar de bijzonderheden van Rügen uit de doeken worden gedaan.

Het Spreewald

Op 100 km ten zuiden van Berlijn ligt een enorm
natuurreservaat dat 75 km lang en 15 km breed is. Het
laagland met uiterwaarden en loofbossen kwam 20.000
jaar geleden tijdens de ijstijd tot ontwikkeling en biedt
970 km stroompjes en waterwegen. Een dergelijk
gebied is uniek voor Centraal-Europa. Ondanks de
nabijheid van de hoofdstad lijkt de geschiedenis aan
het Spreewald te zijn voorbijgegaan. Zo behoren de
inwoners, de Sorben, tot een van de
slechts twee erkende minderheden in
Duitsland en hebben ze hun eigen
gebruiken, kleding en taal. Ook het
landschap is onaangeroerd gebleven.
Het Spreewald is een paradijselijke
wildernis en het domein van duizenden
zeer zeldzame planten- en diersoorten.

Met welk vervoermiddel je hier ook
aankomt, het Spreewald kun je het
beste met een boot doorkruisen. In de
duizenden brede en smalle riviertjes
verplaatsen lokale boeren en bezoekers
zich meestal in punters. Motorboten
worden ontmoedigd omdat ze veel
lawaai maken, want het Spreewald
vraagt van alle zintuigen de maximale
aandacht. Je hoort, voelt en ruikt de
biezen die in de wind buigen, het
murmelende water, het krakende hout
van de punter en de fladderende
vleugels van plotseling opvliegende
ooievaars, hoppen, kraanvogels en
wulpen. Hoe langer je luistert, des te
meer de stilte van het water tot leven
komt. Duizenden vlinders dartelen
rond het dichte bladerdak van
populieren, eiken en ranke elzen, die

het zonlicht in vlekken op het water laten schijnen. Vissen springen op, libellen dartelen zoemend rond en vogels zingen het hoogste lied. Waterlelies drijven een stukje met je mee en overal in dit moerasachtige labyrint groeien wilde bloemen. Huur een kano, een kajak of een punter (met eventueel een gids die veel over de flora en de fauna kan vertellen) of verken het gebied met de fiets of lopend. Openbaar vervoer is er niet. Te midden van deze geïndustrialiseerde samenleving is het Spreewald erin geslaagd zijn eenzaamheid te bewaren.

Een van de duizenden waterwegen (Fliesse) die door het Spreewald stromen..

Het Beierse Woud

WAT IS HET?
Een biosfeerreservaat waar geen mensenhand aan te pas komt.
HOE KOM JE ER?
Ga met de auto of de trein (de 'Waldbahn') naar Zwiesel, Eisenstein, Grafenau of Frauenau en daarna verder met de bus (vraag naar het Bayerische Wald-kaartje).
DE BESTE TIJD
Het hele jaar door.
DICHTSTBIJGELEGEN STAD
Eisenstein/Neuschönau (in het noorden), Grafenau (in het zuiden).

Met sneeuw bedekte bomen in Duitslands oudste nationale park.

Het Beierse Woud, het oudste nationale park van Duitsland, strekt zich uit rond de toppen van de Falkenstein, de Rachel en de Lusen aan de grens met Tsjechië. Samen met het aangrenzende nationale park Sumava in Tsjechië is dit het grootste beschermde bosgebied van Centraal-Europa. Nergens anders tussen de Atlantische Oceaan en de Oeral is een dergelijk groot bos compleet aan de natuur teruggegeven. Zo wonen er hier geen mensen en komt er aan de ontwikkeling van het bos geen mensenhand te pas. Zonder landbouw, veeteelt of houtexploitatie bieden de vele vochtige dalen, stroompjes, moerassen en weiden een grote verscheidenheid aan leefgebieden. Honderden zeldzame dier- en plantensoorten als de lynx, de zwarte ooievaar, de oehoe, de dwerguil, de drieteenspecht en de Boheemse gentiaan zijn teruggekeerd. Op sommige plaatsen ligt een warboel van rottende sparren die overdekt zijn met mos en

ondergroei. De veroorzaker van deze verwoesting is de schorskever, waarvoor het bos na eeuwen van commerciële exploitatie kwetsbaar is geworden. In eerste instantie slaat de schrik je om het hart, totdat je ziet dat er een heel nieuw bos aan het ontstaan is. Want nadat de kever de sparren te gronde heeft gericht, vervangt de natuur ze weer door de oorspronkelijke berken, lijsterbessen en andere loofbomen, die op hun beurt een nog grotere verscheidenheid van flora en fauna trekken.

Een zeldzame lynx in het Beierse Woud.

Dit unieke landschap wordt doorkruist door 300 km wandel- en 200 km fietspaden. Via de Hochwaldsteig beklim je de rotsige top van de 1373 m hoge Lusen, die zich boven de boomgrens bevindt. De Watzlikhain bij Zwieslerwaldhaus is een educatief pad door het bos en de Igelbus (de bus van het nationale park) brengt je naar de Seelensteig, een pad dat door een fabelachtig mooi gebied voert. Wie voor het eerst in het Beierse Woud is, kan zich in het informatiecentrum in Neuschönau laten adviseren over de invulling van zijn of haar persoonlijke wensen. Verder vind je hier ook een uitstekende educatieve ruimte voor kinderen.

MAG JE NIET MISSEN
De 7 km lange rondwandeling door de omheinde wildernis waar diverse dieren (waaronder lynxen) zijn uitgezet. De wandeling begint bij het Hans-Eisenmann-Haus in Neuschönau.

WAT JE MOET WETEN
De schorskever is nog geen 6 mm groot. Vijftig kevers kunnen een volwassen boom in acht weken vernietigen.

De Camargue

WAT IS HET?
Een uitgestrekt
moerasgebied.
HOE KOM JE ER?
Met de auto vanuit Arles.
DE BESTE TIJD
Van de late lente tot de
vroege herfst.
**DICHTSTBIJGELEGEN
STAD**
Arles (5 km).
MAG JE NIET MISSEN
De flamingo's in de Étang
Fangassier.
WAT JE MOET WETEN
Neem smeersels tegen de
muggen mee.

De Camargue is een uitgestrekt gebied met moerassen en lagunes aan de Golf van Lion in de Middellandse Zee. Het beschermde natuurgebied wordt gevormd door slib dat de Grand en Petit Rhône hier afzetten en rukt steeds verder op richting zee. Het noorden en de randen van het gebied werden halverwege de 20e eeuw als landbouwgebied – met voornamelijk rode camarguerijst – in gebruik genomen, maar het door zandbanken van de zee afgescheiden midden is nog altijd een toevluchtsoord voor wild. In 1927 werd de Étang de Vaccarès tot regionaal park uitgeroepen om in 1972 aan het Parc Régional de Camargue te worden toegevoegd.

De Camargue beslaat een gebied van 930 km^2. De ziltige lagunes (*étangs*) en riet-moerassen zijn het domein van duizenden vogels en een veilige haven voor trekvogels. In totaal zijn hier meer dan 400 vogelsoorten gere-gistreerd. Het symbool van de Camargue is de flamingo, waarvan er zo'n 13.000 in de Étang Fangassier te vinden zijn. Zoogdieren in het gebied zijn onder andere dassen, bevers en everzwijnen.

Een flamingokolonie op de oever van de Étang Fangassier.

De andere dieren waardoor het gebied beroemd is zijn de witte paarden en de zwarte stieren. De stieren kunnen vrij rondlopen in het gebied, maar worden in de gaten gehouden door *gardiens* op tamme camarguepaarden.

Al duizenden jaren gebruikt de mens dit gebied voor landbouw en zoutwinning. Via een aantal van de dijken die voor de waterbeheersing zijn aangelegd kun je de binnenste moerassen betreden. Ook is het mogelijk om het gebied per kano of te paard te bekijken.

Volgende pagina's: Camarguepaarden.

De Gorges du Verdon

Een adembenemend uitzicht over de Gorges du Verdon.

De Gorges du Verdon, de op een na grootste canyon ter wereld (na de Grand Canyon), is een spectaculaire bezienswaardigheid in het noorden van de Provence. Tot 1905 was de canyon alleen bekend bij de lokale bevolking, maar na te zijn 'ontdekt' door de grot-onderzoeker Edouard Alfred Martel ontwikkelde hij zich snel tot een toeristische attractie. De canyon ligt dicht bij de Provençaalse kust en is daarom een ideale locatie om aan de zomerse hitte te ontsnappen. Miljoenen jaren geleden lag dit gebied onder een voorloper van de Middellandse Zee, die er vele lagen kalksteen en koraal op afzette. Nadat de noordwaartse

beweging van de Afrikaanse schol het gebied omhoog had getild, scheurde het her en der open. Door de scheuren kon water en ijs in het zachte gesteente doordringen, waardoor grotten en ondergrondse rivieren ontstonden. Door erosie stortten de 'plafonds' hiervan in en zo werd langzamerhand deze diepe, V-vormige vallei uitgesleten.

De kloof is maar 20 km lang, maar de wegen die er aan weerszijden omheenlopen zijn zo kronkelig dat een rondje eromheen meer dan 130 km bedraagt. Het populairste uitkijkpunt is de Belvédère de la Maline, maar er zijn ook diverse andere stopplaatsen langs de kloof. Omdat de wegen hier talloze haarspeldbochten hebben, vooral aan de zuidkant van de kloof, is een ontspannen kajaktocht over de rivier een goed alternatief.

De trekpleister van dit gebied zijn de steile rotsen, die ook bijzonder populair zijn bij klimmers. Er zijn hier meer dan 1500 klimroutes, waarvan de meeste voor beginners echter veel te moeilijk zijn. Verder is er een aantal wandelroutes door de kloof uitgezet, waaronder de Sentier de l'Imbut, de Sentier du Bastidon en de Sentier de Martel, die genoemd is naar de ontdekker van de kloof.

Hoe je je tijd ook doorbrengt in dit prachtige landschap, je zult het niet snel vergeten.

Per kajak is een uitstekende manier om de schoonheid van de spectaculaire kloof in je op te nemen.

Mercantour nationaal park

WAT IS HET?
Een mooi, onbedorven gebied dicht bij de Côte d'Azur.
HOE KOM JE ER?
Per bus vanuit Menton.
DE BESTE TIJD
Van juni tot oktober.
DICHTSTBIJGELEGEN STAD
Monte Carlo (20 km).
MAG JE NIET MISSEN
Barcelonette, de Vallée des Merveilles, grotschilderingen uit de bronstijd in de Bégo.

Dit nationale park strekt zich uit over een afstand van 75 km, op een smalle bergrichel tussen Barcelonette in de Alpes-Maritimes tot Sospel, 20 km ten noorden van Monte Carlo. Hoewel het vrijwel geheel onbewoond is, lopen er paden doorheen en staan er schuilhutten voor wandelaars.

Het park telt verscheidene pieken, de hoogste is La Cime du Gélas met 3143 m, met tevens het grootste bergmeer van Europa, het Lac d'Allos. Het is een prachtig, volslagen onaangetast gebied, met adembenemende watervallen en kloven, maar het staat het bekendst om zijn flora en fauna. Meer naar het binnenland zijn er zeldzame alpenplanten te zien zoals de veelbloemige steenbreek en ook unieke soorten orchideeën en lelies. Dichter bij de kust vind je meer typische maquisvegetatie, met houtiger aromatische plantensoorten waarom het Provençaalse achterland bekendstaat. Het park huisvest veel alpiene zoog-dieren, zoals steenbokken, gemzen, marmotten, hermelijnen, moeflons en opnieuw ingevoerde wolven. Er vliegen hier ook prachtige vogels rond – steen-arenden, slechtvalken, hoppen en alpensneeuw-hoenders.

Sospel aan de zuidrand is een lieflijk en vredig stadje aan de Bevera. De Place Saint Michel is een klassieke Provençaalse droom met roze gevels en daartussen twee kapellen en een kerk, het geheel overheerst door een kasteelruïne. Dit is een prachtige plek om uit te rusten na een trektocht door het hooggebergte.

Herfst in het nationale park Mercantour.

Volgende pagina's: Een wandelaar op de Col de la Cayolle geniet van het uitzicht over het nationale park Mercantour.

175

De bergen van de Auvergne

De Auvergne staat bekend om de schoonheid van zijn beboste hellingen en rotsige toppen, vooral die van de Monts Dômes (ook wel de Chaine des Puys genoemd) en de Monts Dores. Wat veel mensen zich echter niet realiseren, is dat dit prachtige landschap in het Centraal Massief voortkomt uit vrij recente vulkanische

Uitzicht op de Monts Dômes.

activiteit. De jongste – en hoogste – vulkaan in de Monts Dômes is de Puy de Dôme, die nog geen 8000 jaar geleden voor het laatst tot uitbarsting kwam. De indrukwekkende berg met zijn dubbele krater is een van de populairste bezienswaardigheden van Frankrijk. Een steile weg brengt je bijna tot de 1464 m hoge top, maar veel wandelaars geven de voorkeur aan de oude Romeinse zigzagroute. Vanaf de rand van de binnenste krater heb je een fantastisch uitzicht over de met lava en as bedekte toppen van de rest van de keten.

WAT IS HET?
Een vulkanische bergketen in het zuiden van Frankrijk.

HOE KOM JE ER:
Over de weg vanaf Lyon.

DE BESTE TIJD:
Elk jaargetijde.

DICHTSTBIJGELEGEN STAD:
Clermont-Ferrand (10 km).

MAG JE NIET MISSEN:
Een rit in de kabelbaan en een wandeling naar de top van Mont Dore.

WAT JE MOET WETEN:
Fietsen op de Puy-de-Dôme is slechts een paar uur per week toegestaan, wanneer de weg dicht is voor al het overige verkeer.

De Puy-de-Dôme.

Ook de meer naar het zuidwesten gelegen Monts Dorés zijn vulkanisch. De drie grootste vulkanen – de Puy de Sancy, de Puy de l'Aiguiller en de Banne d'Ordanche – domineren een landschap van bossen, meren, rivieren en watervallen. Vanwege de warmwaterbronnen en het heilzame water was dit gebied al bij de Romeinen populair. Je vindt hier nog altijd wellnesscentra en het mineralenrijke water wordt wereldwijd geëxporteerd.

Het enorme Parc Natural Régional des Volcans d'Auvergne strekt zich uit van de Monts Dômes in het noorden tot de Monts du Cantal in het zuiden. In dit prachtige landschap is het 's zomers goed wandelen, kanoën en zeilen, terwijl in de winter de ski's en snowboards ondergebonden kunnen worden.

Het Peak District

Het Peak District ligt tussen het prachtige stadje Ashbourne en het onherbergzame en afgelegen High Peak District ten westen van Sheffield. Het eerste nationale park van Engeland strekt zich diep in zes graafschappen uit: Derbyshire, Cheshire, Staffordshire, South Yorkshire, West Yorkshire en Greater Manchester. Voor de meeste mensen zijn de Peaks echter synoniem met Derbyshire.

Rotsen domineren het landschap van het Peak District. Spitse toppen en kalkstenen hellingen torenen uit boven diepe dalen, waarvan het groen onderbroken wordt door grijswitte stapelmuurtjes en kronkelende rivieren. Het middelpunt van het park is de White Peak, een kalksteengebied met groene kloven. Eromheen ligt een gebied van schalie en dun zandsteen waar rivieren als de Derwent en de Goyt bredere en meer glooiende dalen hebben uitgesleten. Het geheel wordt omringd door de sombere en onheilspellende Dark Peak, steile zandstenen rotspartijen die uitmonden in een plateau waarvan de woeste grond het eenzame domein van Schotse

WAT IS HET?
Een groot, heuvelachtig gebied.
HOE KOM JE ER?
De autosnelweg M1 loopt langs het oosten en het noorden van het park. Vanaf afslag 33 brengt de A57 je via Sheffield naar het noorden van het park. Ook diverse andere hoofdwegen lopen naar het park.
DE BESTE TIJD
Het hele jaar door.
DICHTSTBIJGELEGEN STAD
Ashbourne ligt op 10 km van het Dove Dale in het zuiden van het Peak District.
MAG JE NIET MISSEN
Mam Tor (Shivering Hill). Het uitzicht vanaf de top is adembenemend.

Grazende schapen in het Peak District.

WAT JE MOET WETEN
Charlotte Brontë verbleef in
de pastorie van Hathersage,
in het hart van de Peaks.
In *Jane Eyre* zijn zowel
de pastorie als het dorp
verwerkt.

*Rechts: Bloeiende heide
op Curbar Edge.*

De Edalevallei.

sneeuwhoenders en sterke schapen is. Dit zijn de
Roaches, het zuidelijkste uiteinde van het Penninisch
Gebergte. De toppen reiken niet verder dan 518 m,
maar de wonderlijke vormen van de kam zijn bijzonder
indrukwekkend.

Hoewel in architectuur en landschap stenen en
rotsen overheersen, zijn er in het park ook glooiende,
groene en vruchtbare gebieden. Zo vind je net ten
noorden van Thorpe het prachtig beboste Dove Dale,
het dal van het riviertje de Dove. Langs een groot deel
van de Dove is een voetpad aangelegd – en gelukkig
geen weg.

De Jurassic Coast

Het eerste werelderfgoed in Groot-Brittannië bestaat uit een 152 km lange kustlijn waar sporen uit het trias, de jura en het krijt (de tijdvakken van het mesozoïcum die 185 miljoen jaar beslaan) te vinden zijn. De kustlijn strekt zich uit van de Orcombe Rocks in Oost-Devon tot Studland Bay en Poole in West-Dorset.

De steile rotsen langs deze kust vormen een vrijwel onafgebroken aaneenschakeling van rotsformaties uit het mesozoïcum. De belangrijke fossiele resten en geomorfologische kenmerken van dit gebied leveren al meer dan 300 jaar een belangrijke bijdrage aan de studie naar de aarde.

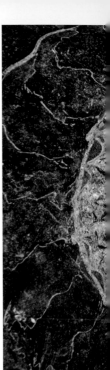

De rotsen tussen Exmouth en Lyme Regis stammen uit het trias, die tussen Lyme Regis en Swanage uit de jura en die tussen Studland Bay en de haven van Poole uit het krijt.

Het gebied is ook rijk aan fauna. Zo komen rond Chesil Beach grote populaties kluten, rotganzen, kuifduikers en dwergsternen voor en kunnen tussen de spinnenorchissen, de gentianen, de wilde kool en de knikkende silenen dwergdikkopjes (een vlindersoort) worden gespot. Verder heeft de kuststrook een lange geschiedenis op het gebied van de schaliewinning. Stenen uit Portland, Beer en Purbeck worden

in heel Groot-Brittannië in de bouw gebruikt.

De Jurassic Coast leende zich uitstekend voor de conservering van schelpen, botten en zelfs weefsel van prehistorische wezens, vooral Lyme Regis en Charmouth met hun zachte, modderige en vaak onbeweeglijke kleigrond van oude tropische zeeën. Stel je de verrukking eens voor toen groene ammonieten, 197 miljoen jaar oude belemnieten, andere fossielen van gewervelde en ongewervelde zee- en landdieren en zelfs fossiele voetafdrukken werden gevonden.

Een fossiele ammoniet op de Jurassic Coast in het Lyme Regis-gebied van Dorset.

Volgende pagina's: De kliffen bij Burton Bradstock worden verlicht door de zakkende zon.

185

Lundy

Ongeveer 19 km vanuit de kust, in het Kanaal van Bristol, waar de Atlantische Oceaan en de rivier de Severn bij elkaar komen, ligt het eiland Lundy. Het wordt beschermd door hoge granieten kliffen en de afgelegen ligging, en heeft een kleurrijke geschiedenis. Het behoort nu toe aan de National Trust en is verhuurd aan de Landmark Trust. De rust en de prachtige natuur maken dat bezoekers hier telkens terugkomen.

Lundy is al sinds de prehistorie bewoond en er is eindeloos strijd geleverd over het eigendom. In 1242 bouwde Hendrik III er een kasteel om er zijn gezag te versterken, maar in plaats daarvan werd Lundy opstandig en heerste er chaos tot William Hudson Heaven het eiland in 1834 kocht. Hij gaf opdracht voor veel gebouwen, inclusief St. Helena's Church, maar verkocht het eiland in 1925 aan Martin Harman, een natuurwetenschapper. Harman transformeerde Lundy en de National Trust verwierf het eiland van zijn kinderen, in 1969.

Het eiland bestaat uit open heideland in het noorden en wat bouwland en een dorpje in het zuiden. Er komen jaarlijks circa 20.000 bezoekers, voor een dagje of om er te logeren in een van de 23 prachtig gerestaureerde gebouwen, waaronder een vuurtoren en het kasteel. Wie langer blijft kan het 11 km lange, schitterende kustpad lopen en het zeegebied rondom bewonderen, dat het eerste marine natuurpark van Groot-Brittannië vormt. Het leven in zee is zeer rijk, er zijn vooral zeldzame soorten zeewier, koralen en hoornkoralen. Er zijn veel grijze zeehonden en soms zie je reuzenhaaien.

Een groot deel van Lundy is van speciaal wetenschappelijk belang, en de flora en fauna zijn rijk en gevarieerd. Het heeft eigen inheemse soorten kool, en een eigen, bijzonder ras van Lundy-pony's. Het is ook een paradijs voor vogelspotters. Papegaaiduikers zijn er nu zeldzaam, maar op de kliffen nestelen duizenden zeevogels.

WAT IS HET?
Een eiland in het Kanaal van Bristol.

HOE KOM JE ER?
Per veerboot uit Bideford of Ilfracombe, of (november tot maart) per helikopter vanaf Hartland Point.

DE BESTE TIJD
Het hele jaar, maar april tot november is het best.

MAG JE NIET MISSEN
De niet meer gebruikte granietgroeven.
De Devil's Slide – geweldig om te beklimmen.
De drie vuurtorens, in een ervan kun je logeren, de andere twee werken nog.
Duiken boven de wrakken en andere watersporten, zoals surfen.
De Soay-schapen en wilde geiten.

WAT JE MOET WETEN
In 1929 gaf Martin Harman zijn eigen postzegels van Lundy uit, waarvan de waarde werd uitgedrukt in 'papegaaiduikers'. Deze postzegels worden nog steeds gedrukt, maar moeten linksboven op de envelop worden geplakt, en in de kosten is het tarief van de gewone post verrekend. In de wereld van de filatelie zijn ze zeer bekend en sommige van deze Lundy-postzegels zijn nu zeer waardevol.

Lundy vanuit de lucht gezien.

189

De Snowdon en Snowdonia

WAT IS HET?
De hoogste berg van Wales, in een prachtig landschap.
HOE KOM JE ER?
Met de auto vanuit Caernarfon of met de trein vanuit Llanberis.
DE BESTE TIJD
April tot oktober.
DICHTSTBIJGELEGEN STAD
Llanberis (5 km).
MAG JE NIET MISSEN
Het prachtige uitzicht vanaf de top.
WAT JE MOET WETEN
Een wandeling naar de top duurt circa vijf uur.

Een pad van keien boven Capel Curig in Snowdonia.

De Snowdon (1085 m) is de hoogste berg van Wales en de op drie na hoogste berg van de Britse Eilanden. In 1951 werd het Snowdonia National Park gesticht, een 4480 km² groot gebied dat het grootste deel van Noordwest-Wales beslaat.

De Snowdon is bij klimmers een van de populairste bergen in Groot-Brittannië. Er gaat een zestal routes de berg op, dus kies er een van je eigen niveau. Wie zich niet wil inspannen, kan vanuit Llanberis in het westen met de Snowdon Mountain Railway naar de top. Op de lagergelegen hellingen en in het park zijn wandel-, ruiter-, mountainbike- en fietspaden aangelegd.

Het uitzicht vanaf de top is adembenemend, maar lager is er ook genoeg te zien. Het prachtige land-schap bestaat hier onder meer uit bossen en afgelegen

dalen met watervallen. Op grotere hoogte kan het weer soms slecht worden, dus kies als de voorspellingen niet al te gunstig zijn voor alternatieven als raften, zeilen of ponyrijden. Verder vind je op het schiereiland Lleyn meer dan 37 km zandstrand.

Het park is de habitat van talloze dieren, zoals otters in de benedenloop van de rivieren, een variëteit aan vlinders in de met wilde bloemen begroeide graslanden, belangrijke populaties van kleine hoefijzerneuzen (een vleermuis), buizerds, slechtvalken en vele kleinere vogelsoorten. Verder komen hier al minstens 10.000 jaar wilde geiten voor.

De Snowdon Mountain Railway biedt een prachtige rit naar de top.

Volgende pagina's: Het uitzicht over Llynnau Mymbyr en de Snowdon Horseshoe.

Llanberis Pass
loopt dwars door de
Snowdonia-bergketen.

De Small Isles

Eigg, Rhum, Muck, Canna en Sanday worden gezamenlijk de Small Isles genoemd. Het zijn oases van rust, net
ten zuiden van Skye. Het opvallendste verschijnsel van
Eigg (spreek uit egg) is de 'Sgurr of Eigg', een basalt-
rots gevormd door in kolommen gedrukte lava, met een
hoogte van 393 m. In 1997 slaagden de eilandbewoners
erin Eigg te kopen van de eigenaar, nadat ze een
samenwerkingsovereenkomst hadden gesloten met de
Highland Council en de Scottish Wildlife Trust.

Rhum is het grootste en meest bergachtige van de
eilanden en is een natuurreservaat van de Scottish
Natural Heritage. Je moet toestemming vragen om het
te mogen bezoeken, maar als je er eenmaal bent kun je
de natuurpaden volgen en genieten van het geweldige
landschap. De flora en fauna zijn er bijzonder – de
gevlekte orchidee is een inheemse subspecies. Rhum
heeft zijn eigen kudde pony's, en koeien, wilde geiten
en edelherten en het is een paradijs voor *twitchers*
(vogelaars), vooral sinds de Scottish Natural Heritage
met succes de magnifieke zeearend weer heeft geïntroduceerd. Een vogel met een nog grotere vleugelwijdte
dan de steenarend, die je er trouwens ook soms ziet.

Muck is piepklein, net 3 km bij 1,6 km, particulier
bezit, en schitterend mooi. In het voorjaar zijn de
'machair' een zee van wilde bloemen en de stranden
glinsteren van het witte schelpenzand. In Gallanach
Bay kun je zelfs otters en dolfijnen zien spelen.

Canna en Sanday zijn verbonden door een voetgan-
gersbrug en het gebied tussen deze twee eilanden vormt
de haven van de Small Isles. Canna is eigendom van de
National Trust for Scotland, en dient als vogelbroed-
plaats en als boerderij. Het was oorspronkelijk begroeid
met lijsterbes, hazelaar, spar, grove den, eik, lariks en
andere bomen zijn er geïntroduceerd. Er broeden
papegaaiduikers en noordse pijlstormvogels aan de
westkust, en bij elkaar leven er 157 vogelsoorten.

WAT IS HET?
Vijf rustige eilanden ten zuiden van Skye.
HOE KOM JE ER?
Per veerboot uit Mallaig.
DE BESTE TIJD
Het hele jaar, maar vooral van mei tot september.
MAG JE NIET MISSEN
Massacre Cave en Cathedral Cave (vooral als er een mis wordt gevierd) op Eigg.
Kinloch Castle en het Bullugh Mausoleum op Rhum.
Het uitzicht over de Small Isles vanaf de top van Ben Airean op Muck.
Het Keltische Kruis en de ruïnes van St. Columba's Chapel op Canna.
WAT JE MOET WETEN
Op zondag varen er geen veerboten naar de Small Isles.

*Volgende pagina's:
Een weidse blik op de
eilanden Rum, Eigg en
Muck vanaf Sanna Bay
in de Highlands.*

195

De Cairngorms

WAT IS HET?
Een bergketen in de Schotse Hooglanden.
HOE KOM JE ER?
Ga met de trein, het vliegtuig of de auto naar Aberdeen en neem vervolgens de A93 naar Braemar, dat in het Cairngorm National Park ligt.

Het Cairngormgebergte ligt in het Cairngorm National Park, waarvan vaak gezegd wordt dat het een van de mooiste landschappen van Groot-Brittannië heeft. Het varieert van ongerept toendragebied op de hoge bergen tot oude naaldbossen, heide en woeste grond met frisse zomerkleuren. Gletsjers hebben brede dalen uitgesleten, waarin rivieren kronkelen.

De naam Cairngorm is afgeleid van het Gaelic-

woord voor 'Blauwe Heuvels' en de bergketen werd vanwege de roodachtige kleuren van het graniet Monahd Ruahd ofwel 'Rode Heuvels' genoemd. De achttien bergen maken deel uit van de Munro's en behoren tot de hoogste van het land. De afgeronde bergtoppen werden in de laatste ijstijd onder de druk van ijskappen gevormd, waarna de rivieren Dee en Spey en de latere zijrivieren Feshie en Avon voor de afwatering zorgden.

Vanwege het ruige klimaat – soms ligt er tot in

DE BESTE TIJD
Het hele jaar door.
DICHTSTBIJGELEGEN STAD
Aberdeen (96 km).
MAG JE NIET MISSEN
De maltwhisky's.
WAT JE MOET WETEN
Het onvoorspelbare weer kan vooral in de winter gevaarlijk zijn.

Loch an Eilein.

*Lochindorb op
Dava Moor.*

augustus sneeuw op de heuvels – wonen hier maar weinig mensen, maar aan wild is geen gebrek. Edelherten, reeën, de enige wilde rendieren in Groot-Brittannië, sneeuwhazen, boommarters, eekhoorns, wilde katten en andere dieren worden vanuit de lucht bekeken door prachtige steenarenden, visarenden, Schotse sneeuwhoenders, zeldzame morinelplevieren en een incidentele sneeuwuil, paarse strandloper en ijsgors.

Het dal, de Lairg Ghru Pass, is een oude veedrijversroute naar de Lowlands. De machtige zalmrivier de Spey zoekt onder persoonlijk toezicht van de Cairngorm zijn weg naar zee, terwijl andere rivieren in dit gebied voor het zuivere water voor maltwhisky's als Glenlivet zorgen. Sinds kort kunnen wandelaars, wintersporters, bergbeklimmers, vogelaars en hertenspotters gebruikmaken van een kabelspoorweg naar het Ptarmigan-centrum, dat 150 m onder de top van de Cairngorm ligt. Andere activiteiten in dit gebied zijn vliegvissen en hanggliden, maar onthoud dat de Hooglanden een gevaarlijke plek kunnen zijn omdat het weer er onvoorspelbaar is.

*Rechts: Loch Morlich en
de Cairngorms
in de winter.*

Het schiereiland Dingle

WAT IS HET?
Het meest westelijke punt van Ierland.
HOE KOM JE ER?
Met de auto.
DE BESTE TIJD
De zomer, maar neem beslist een regenjas mee!
DICHTSTBIJGELEGEN STAD
Dingle.
MAG JE NIET MISSEN
Dolfijn Fungie.
WAT JE MOET WETEN
De weg vanaf Dingle over de Connor Pass is niet geschikt voor angsthazen.

Het noordelijkste van de vijf schiereilanden die in het uiterste zuidwesten van Ierland als vingers de Atlantische Oceaan insteken, is het schiereiland Dingle (Corca Dhuibhne). Dit is ook gelijk het meest westelijke punt van het vasteland van Ierland. Het schiereiland ligt op een rug van zandsteen die ook het in het oosten gelegen Slieve Mishgebergte en de op een na hoogste berg van Ierland, de Brandon (953 m), vormt.

Het woeste schiereiland, dat vaak geteisterd wordt door het slechte weer dat de Atlantische Oceaan aanvoert, staat bekend om zijn prachtige landschap en evenzo mooie uitzichten op het eiland Great Blasket, Dingle Bay en over Castlemaine Harbour tot aan de Mac-

Gillicuddy Reeks. Voor velen is dit een van de mooiste landschappen op aarde. Het bestaat uit rotspartijen, kliffen, glooiende en beboste heuvels, prachtige arctische bergflora op de hoger gelegen gedeelten en brede zandstranden. Voorbij elke hoek is er wel weer een volgend prachtig uitzicht. Buiten de gebaande paden zijn er tal van zijweggetjes en routes waar je in je eigen tempo dit adembenemende landschap kunt verkennen.

In de lente en de vroege zomer nestelen zeevogels als de jan-van-gent op de rotsen, terwijl de haven al sinds 1984 de habitat van dolfijn Fungie is. Populaire activiteiten zijn onder meer wandelen, boottochten naar het eiland Great Blasket, zwemmen, surfen en paardrijden door de branding. Verder zijn er honderden archeologische bezienswaardigheden in de omgeving.

Volgende pagina's: Een blik op de zee vanaf het ruige schiereiland.

De spectaculaire kustlijn van Dingle.

Het Balkan-gebergte

Het Balkangebergte, (*Stara Planina* = oude bergen), strekt zich over een lengte van circa 600 km uit van Oost-Servië, door het noorden van Bulgarije tot Emona, dat ten noorden van Burgas aan de Zwarte Zee ligt. De hoogste bergen – de Botev is met 2376 m de kampioen, maar er komen nog twintig andere boven de 2000 m – liggen in het centrale gedeelte. De rivieren uit het Balkangebergte stromen naar de Donau in het noorden of de Egeïsche Zee in het zuiden. De keten wordt doorkruist door twintig passen en verschillende spoorlijnen.

De streek is vermaard om zijn flora en fauna: er liggen negen natuurreservaten, waarvan er vier een biosfeerreservaat van de Unesco zijn. Eeuwenoude bossen met haagbeuken, beuken, sparren en wintereiken bedekken de hellingen van het Centraal Balkan Nationaal Park en bieden beschutting aan tien soorten en twee ondersoorten planten die endemisch zijn. Zo groeit hier edelweiss, kun je 256 soorten paddenstoelen vinden en 166 medicinale plantensoorten. De bergen zitten vol vogels – 224 verschillende soorten – waardoor ze een magnetische aantrekkingskracht op vogelaars hebben. Het landschap varieert: er zijn prachtige, hooggelegen

bergweiden vol wilde bloemen, watervallen die langs
bijna verticale rotswanden naar beneden kletteren,
diepe, mysterieuze kloven en spannende grotten.

De bergen worden al eeuwen bewoond en in verschillende steden kun je de culturele en historische erfenis
van de streek ontdekken. Ook bekend zijn de kloosters,
waarvan sommige al dateren uit de 12e eeuw. Binnen
hun muren liggen vele schatten: iconen, fresco's en
prachtige gesneden, houten iconostasen. Tijdens de 19e
eeuw waren veel monniken actief betrokken bij de
nationale vrijheidsstrijd; veel van de kloosters zijn dan
ook vernietigd en later weer hersteld.

*Centraal Balkan
Nationaal Park.*

Het strand van Lubenice.

Cres

Cres is een van de grootste van de 1200 eilanden langs de Kroatische kust in de Kvarnerbaai aan de oostkant van Istrië. Het is lang, smal en bergachtig, 68 km van noord naar zuid en 12 km op zijn breedst. De ontoegankelijke steile rotsen van de spectaculaire oostkust met kliffen worden bewoond door de vale gier, de grootste vogel van Europa. De noordelijke heuvels zijn

bedekt met bossen van eik, haagbeuk, olm en kastanje, in schril contrast met de weilanden, olijfgaarden en dennenbossen meer naar het zuiden. In het midden van het eiland is een mysterieus natuurverschijnsel, het Vrana-meer. Het is de voornaamste zoetwaterbron voor Cres en de naburige eilanden, maar geologen kunnen niet verklaren waarom daar 220 miljoen kubieke meter water uit opwelt.

Er is bewijs van bewoning in de steentijd en sporen van grotwoningen en grafheuvels uit de brons- en ijzertijd. De Romeinen hebben de eilanden onder keizer Augustus veroverd en later maakten ze deel uit van het Byzantijnse Rijk. Enkele eeuwen viel het onder Venetië voordat het onder invloed kwam van Oostenrijk-Hongaarse dubbelmonarchie. In 1945 werd het onderdeel van Kroatië. Het culturele verleden kan gevonden worden in de pittoreske dorpjes en de charmante hoofdplaats van Cres waar veel resten uit de Ventiaanse tijd zijn te vinden.

Omgeven door een rustige helblauwe zee, met geïsoleerde baaien en rotsige inhammen. Het eiland is dun bevolkt en landschappelijk interessant door oude ruïnes, begraafplaatsen en kapelletjes, muurtjes van volgens de hoogtelijnen gestapelde stenen op de heuvels met een grote diversiteit van inheemse planten. Cres is een paradijs voor de ecotoerist.

WAT IS HET?
Het op een na grootste eiland in de Adriatische Zee.

HOE KOM JE ER?
De dichtstbijzijnde internationale luchthavens zijn die van Triëst, Pula en Zagreb. Cres is alleen per boot bereikbaar, hetzij rechtstreeks met de veerdienst vanuit Brestova (twaalfmaal per dag) op het schiereiland Istrië, of via de eilanden Lošinj of Krk.

DE BESTE TIJD
April tot oktober.

MAG JE NIET MISSEN
De wandeling van Stivan naar Ustrine – 2½ uur lopen, je kunt er ook een dagtocht van maken.
Lubenice – een oud dorpje met een prachtig uitzicht.
Beli – een van de oudste nederzettingen op het eiland, met een ecocentrum.
Het uitzicht vanaf Gorice – met 650 m het hoogste punt van het eiland.

WAT JE MOET WETEN
De kusten van Cres bestaan uit kiezel en dat is de reden waarom het eiland niet echt in de schijnwerpers is komen te staan als vakantieoord en de ongerepte natuurlijke omgeving heeft weten te behouden. Laat het gebrek aan zand je er niet van weerhouden te komen. De stranden zijn schoon, rustig, en uitstekend voor zwemmen en duiken

De Macochakloof

In het natuurreservaat Moravský kras (Moravische karst) vind je verschillende grotten, ondergrondse beken en doodlopende valleien. De meest bekende bezienswaardigheden hier zijn de Punkvagrotten (Punkevní jeskyně) en de kloof (propast) Macocha, ten noorden van de stad Brno op de hoogvlakte van Drahanská. Een van de dingen die deze kloof zo mooi maakt, is dat door het instorten van een ondergrondse grot een 'lichtgat' is ontstaan waardoor gefilterd licht in de afgrond valt.

Het Tsjechische 'propast' betekent letterlijk 'stiefmoeder'. Die naam is afkomstig uit een legende uit de 17e eeuw over een weduwnaar en diens zoon. Toen deze man hertrouwde en met deze vrouw een ander kind kreeg, wilde zijn nieuwe echtgenote af van haar stiefzoon. Ze gooide hem in de afgrond, maar de takken beneden braken zijn val en hij werd gered door lokale houtzagers. Toen de inwoners van het dorpje Vilémovice dit verhaal hoorden, gooiden ze de stiefmoeder in de peilloze diepte; zij stierf wel.

De kloof is een 'doline' of kleine trechtervormige depressie van 138 m diep: de diepste van zijn soort in Midden-Europa. Het kalkgesteente waarvan deze is gemaakt is 350 tot 380 miljoen jaar oud. In deze streek zijn al meer dan 1100 grotten ontdekt. Delen van dit gebied zijn afgesloten voor het verkeer, maar tussen hotel Skalny mlyn en de Punkvagrotten rijdt een soort treintje en vandaar kun je met een soort kabelbaan naar het uitkijkplatform van de Macochakloof. Bovendien kun je met een motorboot over de ondergrondse, groene rivier Punkva naar de bodem van de kloof varen en een bezoek aan de Dóm Masaryk brengen, een van de mooiste druipsteengrotten in de Moravische karst.

*De grot van Punkevní
jeskyně.*

Het oerbos van Komi

*Ongerept boreaal bos in
de noordelijke Oeral.*

Het oerbos van Komi bedekt 3,28 miljoen ha bergtoendra in het noorden van de Oeral, het meest
uitgebreide gebied met boreale bossen dat nog in
Europa ligt. De streek is vrijwel geheel onaangetast
door economische activiteit en een ware schatkist van
biodiversiteit van de taiga. Het herbergt ruim 40
soorten zoogdieren zoals bruine beer, sabelmarter,
eland, hermelijn, poolvos en veelvraat; 204 soorten
vogels waaronder bedreigde zeearenden, en belangrijke vissen onder andere vrijwel uitgestorven
poolsoorten, de meerforel en de vlagzalm.

De ongerepte biosfeer van Komi omvat twee grote
bezienswaardigheden: het natuurreservaat Pechoro-
Ilich en het enorme
nationale park Jugid-Va.
Gezamenlijk strekken zij
zich uit over 300 km langs
de westhelling van de
polaire en noordelijke
Oeral, waardoor zij de
overgang van noordelijke
en centrale taiga naar bos
en bergtoendra en de
noordwestgrens van de
Siberische pijnboom
aangeven. De ligging is
belangrijk voor het hele
regionale ecosysteem: de
vochtige westhellingen
voeden het grote stroom-
gebied van de Pechora,
waar Europese planten-
soorten de Siberische flora
van de oostelijke Oeral
vervangen. Tussen het
Pechora-voorgebergte met

spar, den en pijnboom liggen dennen- en mos-
moerassen. Gusinoe Bolota is een 3 km² groot
turfmoeras van 5 m diep, met een klein onderzoeks-
instituut in de buurt, waar nog steeds geëxperi-
menteerd wordt met het temmen van elanden.

Pogingen om de grens van de biosfeer te verleggen
om het zoeken naar goud mogelijk te maken zijn
telkens mislukt. Slechts de tijd zal uitmaken of het
regionaal hooggerechtshof de manipulaties van de
zelfgenoegzame regionale regering zal kunnen blijven
pareren.

*Een vergezicht op
de bossen en de
bergtoendra.*

213

De Koerilen

HOE KOM JE ER?
Je moet heel vastberaden zijn om bij de Koerilen te komen. Per boot naar Koenasjir (het zuidelijkste eiland) vanuit Kushiro in Noord-Japan. Onregelmatige veerdiensten naar de andere bewoonde eilanden en een maandelijkse boot vanuit Korsakov, de zuidelijke haven van Sachalin in Oost-Rusland. Om de Koerilen goed te verkennen moet je een boot huren of meegaan met een eco-expeditie.

DE BESTE TIJD
Juni tot oktober.

DICHTSTBIJGELEGEN STAD
Koerilsk op het eiland Koenasjir.

MAG JE NIET MISSEN
De vulkaan Alaid – het hoogste punt van de Koerilen, 2339 m, op het eiland Atlasov, een bijna volmaakt symmetrische kegel die recht uit zee oprijst en naar verluidt mooier is dan de Fuji. De Tao-Roesir-caldeira op Onekotan – 7,5 km doorsnee met een kratermeer en een kegel. De Golovninvulkaan op Koenasjir – een krater van 4 km doorsnee met een lavameer.

WAT JE MOET WETEN
De Koerilen zijn al eeuwen een twistappel tussen Japan en Rusland.

Deze keten van 56 vulkanische eilanden strekt zich uit over bijna 1300 km als een reeks stapstenen, helemaal vanaf het schiereiland Kamtsjatka tot Hokkaido in Japan. Zij vormen de grens tussen de Zee van Ochotsk en de Stille Oceaan en zijn de toppen van onderzeese stratovulkanen, die deel uitmaken van de Ring van Vuur. Voor de kust ligt de Koerilentrog, met 10,5 km een van de diepste punten in de oceaan ter wereld.

De Koerilen zijn verbazend mooi, met een dichte vegetatie – behalve op grotere hoogte – en met een verrassende verscheidenheid aan spectaculaire landschappen, variërend van vulkanische ruggen en kraters tot alpine toendra, graslanden en plassen. Er zijn loof- en naaldbossen, kratermeren met bomen eromheen, welige smalle dalen en snelstromende beekjes, kusten met steile kliffen, vulkanische zandstranden en rotsen. Miljoenen zeevogels strijken in het broedseizoen neer op elke beschikbare rots en klifrand, en de zeeën zijn rijk aan dierenleven waaronder orka's, zwarte dolfijnen, gewone vinvissen, potvissen, zeeotters en oorrobben.

Veertig eilanden zijn vulkanisch actief, met fumarolen, warme bronnen en veelvuldige uitbarstingen. De eilanden zijn dun bevolkt, voornamelijk door vissers, die een mager inkomen halen in een moeilijk klimaat met ijskoude winters en zomerse mist, voortdurende dreiging van aardbevingen, tsunami's en zwavelerup-ties. De combinatie van afstand tot het vasteland, diepte van de oceaan en sterke stromingen zijn belangrijke barrières geweest voor het verspreiden van plantaardig en dierlijk leven, zodat elk eiland een eigen ecosysteem en natuurlijke historie heeft. De Koerilen liggen in een van de minst wetenschappelijk verkende streken van de wereld – het paradijs van de eco-avonturier, vol unieke biologische en geologische wonderen.

Volgende pagina's:
Tao-Rusyrkrater,
Onekotan.

De Koerilen zijn een
waar paradijs voor de
eco-avonturier.

Frans Jozefsland

WAT IS HET?
Een prachtige, maar geïsoleerd liggende, keten van eilanden – het meest noordelijke punt van Europa.

HOE KOM JE ER?
Op een cruise vanuit Spitsbergen (Svalbard).

DE BESTE TIJD
Juli en augustus.

MAG JE NIET MISSEN
Kaap Flora op Nortbroek – zeevogelkolonie en overblijfselen van een nederzetting die in de 19e eeuw door poolverkenners is gebouwd.
Roebinirots op Goekera – het tehuis van talloze zeevogels.
Kaap Noorwegen op Djeksona – overblijfsel van de hut van de Noorse ontdekkingsreizigers Johansen en Nansen.
De eilanden Stolitsjki en

Een vreemde, boeiende wereld van ijsbergen, gletsjers en middernachtzon, dat is Frans Jozefsland, een van de weinige overgebleven echt wilde plekken op de planeet. Het is een archipel van 191 vulkanische eilanden, met spectaculaire baaien en fjorden en een oppervlak van 16.130 km2 in de Barentszzee, helemaal binnen de poolcirkel. Dit is het noordelijkste puntje van Europa, bij Kaap Fligeli op Roedolfeiland slechts 911 km van de Noordpool.

Twee Oostenrijkse ontdekkingsreizigers, Julius Payer en Karl Weyprecht, zijn hier in 1873 geland en hebben de archipel Frans Jozefsland genoemd ter ere van hun keizer. Maar Oostenrijk heeft nooit gezag over het gebied opgeëist en in 1926 won de Sovjet-Unie de race tegen Noorwegen om de soevereiniteit: het is nu dan ook van Rusland. Afgezien van een meteorologisch station op Zemlija Aleksandri (Alexanderland), het

Een ijsberg in het
ongerepte Frans
Josefsland.

meest westelijke eiland, zijn de eilanden onbewoond.
In de loop van een halve eeuw is de hoogst vastgelegde
temperatuur 13 °C en de laagste –54 °C.

In de zomermaanden verandert de bevroren zee in
een waanzinnig mozaïek. Bijna 85 procent van het
landoppervlak is constant met ijs bedekt, een laag die
gemiddeld 180 m dik is. De enige kleur die je kunt zien
in die verblindend witte wildernis is het buitengewone
rood en groen van de (korst)mossen die zich aan de
kale rotsen hechten. De spectaculaire omgeving is het
meest majestueus op Tsjamp, in het midden van de
archipel. Hier vinden we de hoogste kliffen en bergen,
met buitengewone rotsen – volmaakt kegelvormig en
tot drie meter in doorsnee. Het ruige klimaat wordt
getrotseerd door poolvossen, walrussen, ijsberen en
witte dolfijnen en 37 vogelsoorten, waaronder
(roodpoot)drieteenmeeuwen en noordse stormvogels.
Een reisje naar Frans Jozefsland is een unieke en
onvergetelijke ervaring.

Apolonov – walruskolonies.
De eilanden Aldsjer en
Wiltsjeka – voor de ijsberen.
WAT JE MOET WETEN
Een reisje naar Frans
Jozefsland is een bijzonder
avontuur – het is Russisch
militair gebied en je kunt
er alleen heen onder

Links: Een ijsbeer
zwerft over het poolijs.

219

De bergen van Majorca

*Een weiland met wilde
bloemen aan de voet van
de Tramuntanabergen*

Majorca heeft de reputatie commercieel, toeristisch en
vol hoogbouw te zijn, maar afgezien van een smalle
kuststrook langs de Badia de Palma en de grimmige
oostkust, is het eiland verrassend mooi. Dat geldt ook
voor de Serra de Tramuntana, de ruige bergen van het
noordwesten. Hier vindt men hoog oprijzende pieken,
afgewisseld met valleien vol groepjes olijf- of citrusvruchtbomen, kliffen die steil aflopen naar de zee en
pittoreske bergdorpjes, verscholen tussen de heuvels.

Verreweg de plezierigste manier om naar de bergen
te reizen is het curieuze antieke treintje van Palma naar
Sóller. Deze spoorlijn werd oorspronkelijk aangelegd
voor de sinaasappelverkopers van Sóller, die behoefte
hadden aan een efficiëntere methode om de hoofdstad
van het eiland te bereiken. Tot dan ging dat met paard
en wagen over een lang, bochtig traject door de bergen.

De trein rijdt al sinds 1912 en neemt je mee terug in de tijd met zijn houten wagons met mahonie lambrisering. De rit van 28 kilometer voert door een verbluffend mooi landelijk gebied. De trein kronkelt zich noordwaarts door de vlakte van Palma en klimt dan de bergen in door prachtige valleien vol citrusvruchtbomen. De trein stopt in diverse dorpjes, terwijl je onderweg wordt getrakteerd op zowel schitterende panorama's als benauwende stukken tunnel waar pas een eind aan komt als je begint te denken dat dit nooit meer gaat gebeuren.

Sóller is een prachtig stadje in de bergen, gebouwd op een helling rond een plein met diverse cafés. Het heeft een authentieke atmosfeer weten te behouden. Je kuiert er door slaperige, smalle straatjes met achttiende- en negentiende-eeuwse stenen huizen met enorme houten deuren en smeedijzeren rejas (traliewerk). Het is een prima uitvalsbasis voor trektochten, maar je kan er ook de ouderwetse tram naar de kust nemen.

*Volgende pagina's:
Bloeiende
amandelbomen onder
aan de bergen*

Parque Nacional Ordesa y Monte Perdido

WAT IS HET?
Een van de eerste nationale parken in Spanje.
HOE KOM JE ER?
Over de weg vanuit Zaragoza.
DE BESTE TIJD
's Zomers.
DICHTSTBIJGELEGEN STAD
Sabiñánigo (40 km).
WAT JE MOET WETEN
Loop niet zomaar de grens met Frankrijk over zonder je paspoort.

Op de top van de Pyreneeën ligt het massief van de Drie Zussen (Tres Sorores), waarvan de hoogste kammen de grens met Frankrijk vormen. Vanaf die hoogtes waaieren gletsjerdalen tussen de toppen uit en de kale bergen maken geleidelijk plaats voor woeste weiden met typische wilde bloemen, waaronder edelweiss, vervolgens zwarte dennenbossen, dan beuken, eiken, berken en sparren in de dalen daar ver onder. Het nationale park Ordesa y Monte Perdido gaat op de grens over in het Parc National des Pyrénées en samen vormen ze een werelderfgoed van de Unesco. Het kalkstenen landschap barst van de kloven en grotten die door water uit de rotsen zijn gehouwen, terwijl glaciale keteldalen op grote hoogte herinneren aan de krachten die dit landschap gevormd hebben. De gletsjer aan de noordkant van de Monte Perdido trekt zich in hoog tempo terug en die aan de zuidzijde zijn allang verdwenen.

Hoewel men vermoedt dat de Pyrenese steenbok hier onlangs is uitgestorven, kun je in het park nog verschillende andere diersoorten vinden, waaronder marmotten, otters, de *rebecco* (wilde geit), wilde zwijnen en een soort molachtig zoogdier dat luistert naar de naam Pyrenese desman (*Galemys pyrenaicus*). Voor vogelaars is hier genoeg te zien: op de wanden van de kloven vind je de prachtig roze rotskruiper, terwijl op rotsen in de bergbeken waterspreeuwen veelvuldig voorkomen. Tot de grotere vogels die hier zo nu en dan opduiken behoren slangen-, steen- en dwergarenden en wespendieven, maar ook de lammergier en vale gier kun je boven de hoge pieken zien zweven.

Gletsjerdalen en ruig grasland vormen het landschap van het Parque Nacional Ordesa y Monte Perdido.

224

De Anisclo-canyon.

De Teide

Als je de steden op Tenerife, het grootste Canarische Eiland, achter je gelaten hebt, is het moeilijk om de centraal op het eiland gelegen vulkaan *niet* te zien. Wanneer je door de weelderig groene beplanting aan de voet ervan reist, is hij altijd vanuit een ooghoek zichtbaar. Met zijn 3718 m is de Pico de Teide de hoogste berg in Spanje en de grootste vulkaan van Europa. Het is een stratovulkaan die boven een hotspot in de oostelijke Atlantische Oceaan ligt; de laatste uitbarsting, uit een van de zijkraters, deed zich nog in 1909 voor. Fumarolen op de top stoten hete gassen zoals zwaveldioxide uit, dus de krater mag niet bezocht worden.

Zo'n 150.000 jaar geleden veroorzaakte een veel grotere uitbarsting de instorting van de eerdere kegel, waardoor een caldera van 10 bij 15 km en tot 600 m diep ontstond. De huidige piek stamt af van een latere uitbarsting. De bodem van de caldera heeft vreemde rotsformaties die als duimen omhoog steken; ze zijn het gevolg van latere erosie.

De uitzichten vanuit de kabelbaan over het maanlandschap van de caldera zijn adembenemend: twee korte paden leiden naar uitkijkposten, maar je hebt een vergunning nodig om de laatste 200 m naar de top te klimmen.

Pico de Teide.

Volgende pagina's:
Pico Viejo vanuit de
lucht.

WAT IS HET?
De hoogste vulkaan in Europa.
HOE KOM JE ER?
Over de weg vanuit Santa Cruz de Tenerife of via de kabelbaan naar La Rambleta.
DE BESTE TIJD
Van voor- tot najaar.
DICHTSTBIJGELEGEN STAD
Granadilla de Abona (20 km).
MAG JE NIET MISSEN
Het uitzicht.
WAT JE MOET WETEN
Je hebt een vergunning nodig om naar de top te klimmen en het is streng verboden om bij de krater te komen.

Stromboli in vogelvluchtperspectief.

Stromboli

WAT IS HET?
Een actief vulkaaneiland.

HOE KOM JE ER?
Vlieg naar Catania op Sicilië, neem dan de bus/ trein naar Milazzo of Messina en de veerboot/ draagvleugelboot naar Lipari. Vanaf het vasteland van Italië kun je vanuit Reggio di Calabria of Napels een veerboot/ draagvleugelboot naar Lipari nemen. Van daaruit ga je per veerboot naar Stromboli.

Stromboli is de top van een vulkanische berg die 926 m de Tyrrheense Zee uitsteekt. De rest verdwijnt onder water tot een diepte van 1500 m. Het is het meest afgelegen eiland van de Liparische Eilanden (ook Eolische Eilanden genoemd): een vulkanische archipel voor de noordkust van Sicilië, ongeveer 60 km van het Italiaanse vasteland.

'De vuurtoren van de Middellandse Zee' is een van de meest actieve vulkanen op aarde – de Stromboli is de afgelopen 2000 jaar min of meer in een staat van voortdurende eruptie geweest. De vulkaan staat in zijn eentje midden in de zee en stoot een constante stoompluim uit zijn kegel. 's Nachts kun je getuige zijn van een indrukwekkend spektakel wanneer vlammen als een gigantisch vuurwerk de lucht in schieten. Voortdurend vinden kleine erupties plaats, waarbij een paar keer per uur lavaproppen metershoog de lucht in worden geslingerd die meestal ook weer terugvallen in de krater.

Gek genoeg wonen er op dit piepkleine eiland (12,5 km²) nog zo'n 500 mensen. Het uitzicht op de hoger gelegen hellingen is betoverend – woeste kliffen torenen uit boven zwarte zandstranden en je staart over een helderblauwe zee die bezaaid is met eilandjes.

In de lange geschiedenis van de Stromboli zijn grote uitbarstingen en lavastromen zeldzaam geweest. Op 28 december 2002 (17 jaar na de vorige grote eruptie) liepen grote lavastromen vanaf een krater op ongeveer 700 m hoogte in zee. Hierdoor ontstond het hoefijzervormige lavaveld *sciara del fuoco* (helling van vuur). Twee dagen later brak een van de hellingen van de vulkaan los en viel in zee. In februari 2007 ontstonden twee nieuwe kraters; uit één daarvan stroomde lava naar de zee. Sinds die tijd wordt de Stromboli extra goed in de gaten gehouden.

DE BESTE TIJD
Tussen april en half juni is het eiland op zijn mooist.
DICHTSTBIJGELEGEN STAD
De stad Lipari op het gelijknamige eiland (43 km).
MAG JE NIET MISSEN
Een tocht met een gids naar de krater, bij voorkeur tijdens zonsondergang.
WAT JE MOET WETEN
Stromboli was het decor van Jules Vernes boek *Reis naar het middelpunt van de aarde*. Stromboli is ook de naam van een dubbelgeklapte pizza (*calzone*) gevuld met mozzarella en andere ingrediënten naar keuze. De Eolische Eilanden zijn genoemd naar Aeolus, de god van de wind.

Stromboli is een van de meest actieve vulkanen op aarde.

*De onechte
karetschildpad is
de grootste van alle
zeeschildpadden.*

Zeeschildpadden, Zákynthos

Van de acht soorten zeeschildpadden is de onechte karetschildpad (*Caretta caretta*) de grootste. Hij is te herkennen aan zijn grote kop, het bruin tot oranje schild en de gele onderkant. Het schild wordt ongeveer een meter lang en het dier kan dan bijna 150 kilo wegen. Er zijn echter exemplaren van wel 500 kilo aangetroffen. Griekenland is het enige Europese land waar deze schildpadden eieren leggen en de zandstranden van Laganas, op het eiland Zákynthos, herbergen de grootste broedkolonie van deze bedreigde soort.

Er is maar weinig bekend over het leven van zeeschildpadden, vooral over de mannetjes. Wél weten we dat ze ongeveer 60 jaar oud kunnen worden en zich op ongeveer dertigjarige leeftijd voortplanten. De onechte karetschildpad legt van alle zeeschildpadsoorten de langste trekroutes af. Met hun sterke kaken vermorzelen gemakkelijk hun voedsel – voornamelijk schaal- en schelpdieren of kwallen. Vrouwtjes die eieren komen leggen worden soms gemerkt om informatie over de trekroutes te verkrijgen, maar mannetjes komen de zee nooit uit.

Tussen juni en augustus klauteren de vrouwtjes 's nachts het strand op om in nesten van 40 tot 60 cm diep zo'n 200 eieren te leggen die ze bedekken met warm zand. Dit proces wordt elk seizoen drie of vier keer herhaald. Na ongeveer acht weken komen de eieren uit en kruipen de kleintjes door het zand naar de zee. Ongeveer 30 jaar later keren de vrouwtjes terug naar hetzelfde strand om zich voort te planten – over de tussenliggende periode is niets bekend.

In 1999 werd in het zuiden van Zákynthos een nationaal marinepark opgericht om ongeveer 6 km afgezonderd zandstrand te beschermen waar jaarlijks 900 schildpadden hun eieren komen leggen. Helaas werden de wetten ter bescherming van deze dieren zo vaak overtreden dat de Europese Commissie maatregelen nam tegen de Griekse autoriteiten die het toerisme blijkbaar belangrijker vinden dan het beschermen van deze belangrijke broedplaatsen.

WAT IS HET?
De enige Europese broedplaats van de onechte karetschildpad.
HOE KOM JE ER?
Per vliegtuig of boot naar het eiland, en vervolgens per auto.
DE BESTE TIJD
Tussen juni en oktober planten de schildpadden zich voort.
DICHTSTBIJGELEGEN STAD
Keri.
MAG JE NIET MISSEN
De blauwe grotten op de Skinári Cape, het Venetiaanse kasteel in Bochali; Macherádo met de kerk Àgia Mávra en hoog boven het dorp het klooster, en de Strofádes: eilanden 35 km ten zuiden van Zákynthos.
WAT JE MOET WETEN
Bij de beschermde gebieden gelden veel restricties, zo mag je er bijvoorbeeld ook niet varen en zwemmen.

Schildpadden komen hun eieren leggen op de stranden van Zakynthos.

Pamukkale

WAT IS HET?
Een glimmende witte
rotshelling met verbluffende
terrassen.
HOE KOM JE ER?
Over de weg vanuit Denizli.
DE BESTE TIJD
Wanneer dan ook.
**DICHTSTBIJGELEGEN
STAD**
Denizli (20 km).
MAG JE NIET MISSEN
Zwemmen in de
warmwaterbaden.
WAT JE MOET WETEN
Het beklimmen van de
terrassen en poelen is
verboden.

De duizelingwekkende witte 100 m hoge kliffen van
Pamukkale, een van de geologische wereldwonderen,
zijn al van kilometers ver te zien. Water met een
temperatuur van 35 °C uit bronnen op het
vulkanische plateau erboven stroomt langs de helling
van de klif en laat calciumcarbonaat in de vorm van
verblindend wit travertijn achter dat na afkoeling
vreemdgevormde terrassen en poeltjes vormt.

Pamukkale betekent 'kasteel van katoen'; volgens
de legende is het ontstaan toen de gigantische
Titanen hun katoenoogst hier lieten drogen. In de
loop van duizenden jaren zijn de terrassen als een
magische reuzentrap of bevroren waterval uit de klif
gegroeid. Je wordt hier overal begeleid door het
geluid van spattend water.

Vanwege eerder toegebrachte schade aan het
zachte, poreuze gesteente zijn maar een paar
terrassen open voor het publiek, maar als je over de
paden loopt, kun je het hele gebied bekijken. Boven
aan de klif kun je zwemmen in de warmwaterbaden
van de stad, waaronder die met de originele heilige
bron. Je ziet dan het water uit de bodem opborrelen.

Deze plek en de vermeende genezende kracht van
het water zijn al duizenden jaren bekend. Boven op
de rots liggen de ruïnes van de stad Hiërapolis, die
rond de bron gebouwd werd. Dicht bij de baden ligt
een grot die gewijd is aan de koning van de
onderwereld: het Plutonium. Door het rooster dat de
toegang blokkeert hoor je het stromen van het water
en het gesis van de giftige gassen die hier uit de
grond ontsnappen.

*Rechts: de fotogenieke
terrassen van
Pamukkale.*

*Volgende pagina's:
Zonsondergang bij
de terrassen van
Pamukkale.*

Göreme Milli Parki

WAT IS HET?
Een vreemd, verweerd
landschap.
HOE KOM JE ER?
Over de weg vanuit Kayseri.
DE BESTE TIJD
Van voor- tot najaar.
**DICHTSTBIJGELEGEN
STAD**
Üçhisar (3 km).
MAG JE NIET MISSEN
Een ballonvaart over het
gebied.
WAT JE MOET WETEN
Hoewel de vulkanen zijn
uitgedoofd, kunnen zich wel
aardschokken voordoen.

*Volgende pagina's:
Avondlicht bestrijkt de
kegelvormige rotsen van
Göreme Milli Parki.*

*Rechts: Een boom in
lentetooi in Rose Valley.*

Het nationale park Göreme, in het hart van Cappa-
docië, heeft een van de vreemdste landschappen ter
wereld. In de loop van miljoenen jaren hebben
vulkanen in het gebied het land met dikke lagen zacht
tufsteen bedekt, die vervolgens weer onder lavalagen
terechtkwamen die stolden en de bovenkant verze-
gelden. Uiteindelijk sijpelde daar toch water doorheen, waardoor het zachte gesteente eronder ging
eroderen. Wind, sneeuw en regen hebben het in
kegelvormige pilaren, torens en naalden van verschillende kleuren en hoogtes tot 40-50 m gesneden. De
vulkanische vlakte besloeg ooit een oppervlak van
10.000 km^2 en het park beschermt daar nu de centrale
95 km^2 van. Het zachte gesteente liet zich ook
makkelijk bewerken door mensen; in de loop der
eeuwen is een groot deel van de pilaren – feeën-
haarden genoemd – uitgehouwen tot huizen en
kerken. Die laatste zijn vermaard vanwege hun
Byzantijnse muurschilderingen.

Er liggen geen dorpen in de omgeving en je kunt
dit landschap het beste lopend of per fiets verkennen.
Een populaire route is een bochtig pad van 12 km
naar Üçhisar door de vallei Uzundere. De dalen
worden gedomineerd door de vulkanen die het landschap hebben gevormd, zoals de Erciyes Daği en de
Hasan Daği.

In de heuvels van deze spectaculaire vallei zijn soms
wolven en steenmarters te zien; dassen, vossen en
hazen wonen ook in het park.

Hoewel het aardig wat kost, is het maken van een
van de vele ballontochten die worden aangeboden,
een populaire manier om enige grip te krijgen op het
landschap – en geweldige foto's te maken. Zweven
over dit vreemde gebied op een heldere, stille morgen
is een magische ervaring.

AZIË

Historisch landschap Wulingyuan

Wulingyuan in Hunan is met 26.000 ha een van de 40 beroemdste landschappen van het land. Het wordt door verscheiden stammen bewoond. Zo'n 3 miljard jaar geleden was dit zee en het huidige landschap van geërodeerde kwartsrots is de bloot gekomen en geërodeerde zeebodem. De streek herbergt ruim 3000 smalle zandstenen pilaren en pieken en hiervan bereiken ruim 1000 een hoogte van meer dan 200 m. Daar vinden we watervallen, stromen en poeltjes, diepe dalen, ravijnen en complexe kalksteengrotten. Vrijwel de hele streek is bebost – 99 procent is bedekt met vegetatie, waaronder enkele zeldzame soorten.

Het nationaal bos van Zhangjiajie is bedekt met subtropisch oerbos. Het boogt op 191 boomsoorten en is overdekt met bloemen – orchideeën en azalea's parfumeren de atmosfeer. Een in het park endemische bloem kan tot vijf keer per dag van kleur veranderen. Suoxiyu is het grootste onderdeel van het park, met een kreek die van oost naar west loopt. De bodem van het dal, bestaande uit geel- en donkergroene schalie, contrasteert met de bovenste hellingen van bloedrode of grijze kwartsiet en schalie. Huanglong, de Gele Drakengrot, staat bekend als een van de grootste van China.

Het Tianzi-bergreservaat.

Op vier niveaus bevat zij een ondergronds meer, twee rivieren, drie watervallen, 13 hallen en 96 corridors

Het Tianzi bergreservaat ligt veel hoger en is rijk aan vreemd gevormde pieken en rotsen. Het is beroemd om de mist en de nevel die er vaak hangen, maar ook om zijn prachtige vergezichten. Er zijn twee spectaculaire natuurlijke bruggen hier – Tianxia Diyi Qiao, ofwel de brug over de hemel, 40 m lang, 10 m breed en 15 m dik. Dit is op 357 m boven de vallei wellicht 's werelds hoogste natuurlijke brug.

Een rhesusaap met jong in het nationale park Wulingyiang.

Volgende pagina's: Zandstenen pilaren in de nevel.

De Wuji

De Wujiberg in Fujian is het belangrijkste gebied voor behoud van biodiversiteit, rivierschoon en archeologische schatten in Zuidoost-China. Het landschap werd door vulkanische activiteit gevormd, door water uitgesleten en de Rivier van de Negen Bochten, helder en diep, baant zich een weg door een spectaculaire kloof, geflankeerd door steile, gladde

kliffen. In dit landschap van heuvels en kloven vinden we een groot aantal oude tempels en kloosters, en hoewel vele daarvan tot ruïne zijn vervallen, is het landschap zo volmaakt dat het lijkt alsof je naar een klassiek Chinees schilderij staat te kijken.

De Wujiberg is al 12 eeuwen beschermd en de wieg van het neoconfucianisme, een leer die in het Verre Oosten honderden jaren veel invloed heeft gehad. In de 1e eeuw v.Chr. lieten de heersers van de Han-

De Wujiberg boven de kloof van de Rivier met de negen bochten.

dynastie een grote ommuurde stad bij het nabijgelegen Chengcun verrijzen en die is, net als veel andere vindplaatsen, van groot archeologisch belang.

Hier vinden we een van de mooiste subtropische wouden ter wereld. De vegetatie is verdeeld in elf categorieën, waarvan de meest algemene groenblijvende loofbossen betreft, met een eveneens grote diversiteit aan fauna, waaronder bedreigde soorten zoals de Zuid-Chinese tijger, de nevelpanter en de rode goral. Er zijn drie diersoorten inheems in deze bergen, waaronder de bamboeratelslang – dit is echt een slangengebied, want er zijn 73 soorten reptielen en opgezette slangen zie je vaak als versiering in plaatselijke restaurants en bij apotheken.

Deze streek is van een bijna buitenaardse schoonheid. Glijd door de Wujicanyon op een vlot, bekijk de ene na de andere plooi van welig groene bergen. Ga rustig een heerlijke kop thee drinken en ga mediteren over de fantastische natuur op onze planeet.

Beermakaak (Macaca arctoides)

250

Sundarbans, reservaat van de koninklijke Bengaalse tijger

Het Sundarbans-reservaat is een werelderfgoed en vormt de kern van de 2585 km² grote Gangesdelta in West-Bengalen. Aanslibbingen vormen eilanden die met het vasteland verbonden zijn door een doolhof van waterwegen en mangrove. De helft van alle diersoorten en 80 procent van alle mangrovemoerassen van India maken dit tot de vruchtbaarste moerassen ter wereld. Hierdoor kan een grote populatie tijgers gevoed worden, naast kolonies resusapen, axisherten, zwijnen, otters, zoutwaterkrokodillen, varanen, koningskrabben, Kemps- en karetschildpadden, talloze slangen en een scala aan bonte vogels.

WAT IS HET?
Een Unesco-werelderfgoed en een biosfeerreservaat.
HOE KOM JE ER?
Per boot en riksja vanuit Canning.
DE BESTE TIJD
September tot maart.
DICHTSTBIJGELEGEN STAD
Gosaba (50 km).
MAG JE NIET MISSEN
Een tochtje door de vele kreken.
WAT JE MOET WETEN
De reis wijdt je geheel in in de geheimen van het Bengaalse platteland.

Bengaalse tijger.

Tweemaal per etmaal wordt de mangrove bij hoog water overstroomd en wordt toegang bijzonder moeilijk. De tijgers van Sundarbans hebben zich uitstekend aan dit amfibische leven aangepast. Het zijn kundige zwemmers, zij kunnen in en op brakwater overleven, voeden zich met vissen en schildpadden, naast hun gebruikelijke prooi. Hun aantallen zijn een graadmeter voor het succes van het reservaat: door beperking van stropen en menselijke activiteit als vissen en het verzamelen van hout en bosproducten. Er is ook een keerzijde: de koninklijke Bengaalse tijgers zijn notoire menseneters, die generaties lang gewend zijn aan de nabijheid van de verrukkelijke mens. Het gebruik van

elektrische afweer, lichten en een bewustwordings-
programma voor dorpelingen en bezoekers hebben het
aantal slachtoffers teruggebracht van 40 tot ongeveer
10 per jaar. Maar elk risico lijkt de moeite waard om
deze fantastische zwartgestreepte, goudoranje flits
tussen het donkere groen te zien.

   Het bereiken van de Sundarbans is een avontuur op
zich. Vanaf het treinstation in Canning moet je een
Sonakhali zien te bereiken, waar je een boottocht maakt
van 7 uur naar Gosaba, gevolgd door een riksjarit naar
Pakhirala om weer een boot te nemen naar de
Sajnekhali. De beloning is dat je de grootste kat ter
wereld in zijn moerasparadijs mag waarnemen.

*De dag breekt aan in
het nationale park
Sunderbans.*

253

WAT IS HET?
Een nationaal wildpark en
werelderfgoed.
HOE KOM JE ER?
Per vliegtuig naar Jorhat,
vervolgens per auto.
DE BESTE TIJD
November tot april.
DICHTSTBIJGELEGEN
STAD
Jorhat (95 km).
MAG JE NIET MISSEN
Het ochtendgloren.
WAT JE MOET WETEN
Je kunt in het park een
olifant (met kornak)
berijden.

*Een Indische of
pantserneushoorn.*

Het nationale park Kaziranga

Aan de oevers van de Brahmaputra, in het uiterste
noordoosten van India, in Assam, vinden we het
nationale park Kaziranga van 430 km^2, een netwerk
van bossen, moerassen en hoge opstanden van
olifantsgras: de ideale leefomgeving voor de pantserneushoorn. Er zijn er hier meer dan overal elders,
samen met een grote populatie Indische olifanten,
moeras- en varkensherten, lippenberen, tijgers,
luipaarden, kuiflangoeren, hoeloks, wilde zwijnen,
jakhalzen, buffels, pythons en otters. Het is een
adembenemend kijkje op het levende potentieel van
een succesvol wildpark.

In de winter trekken grote aantallen vogels naar de meren en moerassen. Grauwe ganzen, krooneenden, krakeenden en slobeenden behoren tot de nieuwkomers die zich voegen bij de Maleise wespendief, de Brahmaanse wouw, de (witband)zeearend, de sneeuwgier en de ruim 100 andere standvogelsoorten.

Het relatief open land maakt het wildkijken betrekkelijk gemakkelijk. Je kunt meestal alle grotere soorten in één dag te zien krijgen. De vroege ochtend is de beste tijd, als de olifanten zich gaan voeden. De graslanden zijn een trekpleister voor roofvogels, zoals de Indische slangenarend, die op zoek gaat naar

Zonsondergang in Kaziranga.

prooi tussen de flitsende caleidoscoop van ooievaars, reigers, pelikanen en talingen die in de moerassen thuishoren.

Het park verandert met het seizoen – in de moessontijd bijvoorbeeld, als de Brahmaputra overstroomt, vindt de grote wildtrek plaats naar diverse delen binnen het park. Het is aan te raden van tevoren na te gaan welke delen toegankelijk zijn en of er een vergunning nodig is.

Volgende pagina's: Indische olifanten.

WAT IS HET?
Een klein stukje
oorspronkelijk tropisch
regenwoud.
HOE KOM JE ER?
Per vliegtuig naar Colombo,
dan over de weg.
DE BESTE TIJD
Januari tot april en augustus
tot september.
**DICHTSTBIJGELEGEN
STAD**
Ratnapura (44 km).
WAT JE MOET WETEN
Bloedzuigers kunnen een
probleem vormen.

Blauwe kitta.

Het bosreservaat van Sinharaja

Het bosreservaat van Sinharaja ligt in het zuidwesten van het eiland en omvat het laatste nog resterende onaangetaste stuk tropisch regenwoud. Het gebied is 21 km breed en 5 km lang en vormt het laatste toevluchtsoord voor zeldzame dieren als wilde zwijnen, muntjak-herten, reuzeneekhoorns, civetkatten, stekelvarkens, mangoesten, witbaard-langoeren en zeer schuwe luipaarden. Het gebied is kostbaar omdat er zoveel soorten planten groeien die nergens anders meer voorkomen omdat de bossen eromheen zijn gekapt.

Sinharajara is tot Unesco-werelderfgoed uitgeroepen vanwege het belang en de zeldzaamheid van de planten. Er zijn twee belangrijke leefgebieden in het reservaat – tropisch laagland regenbos en tropisch nevelwoud – meer dan de helft van de grote plantensoorten hier komt nergens anders voor.

Het dichte woud herbergt vele soorten vogels, waaronder de blauwe kitta, de vlaggendrongo, de Andama-
nenspreeuw, de Ceylonese babbelaar, de roodwangmalkoha
en de bijzonder zeldzame Ceylonspoorkoekoek. Tot de
andere schepselen die genieten van de welig groene
wildernis behoren de hypnale, de bamboeratelslang en
vele amfibieën, waaronder boomkikkers. Ook leeft er een
zeer grote verscheidenheid aan insecten, waaronder de
Trogonoptera brookiana, en andere soorten die alleen
hier voorkomen.

Sinharaja-regenwoud.

Trektocht door de heilige valleien

Bhutan is een uitzonderlijk land. Verscholen in de plooien van de oostelijke Himalaya en ingeklemd tussen China en India is dit afgelegen koninkrijk de laatste plek in de Himalaya waar de cultuur van het mahayana-boeddhisme intact is gebleven. Pas in 1974 stelde Bhutan zich open voor de wereld, maar het beleid van

de huidige koning is erop gericht de traditionele cultuur en de ongerepte natuur van het land te beschermen tegen invloeden van buitenaf. En tot nu toe met succes.

Bhutan heeft vier prachtige valleien op 2600 meter hoogte. Boekweit, gerst, aardappelen en appels groeien er in overvloed. Dit vredige landschap vormt het heilige hart van Bhutan, waar veel tempels te vinden zijn. Trek langs de rivier de Chamkhar, vermaard vanwege haar forel. Bezoek de Thamshing Lhakangtempel, gebouwd in de zevende eeuw en Mebar Tsho (het brandende meer) waar Guru Rimpoche, die het boeddhisme van uit Tibet hierheen bracht, een aantal heilige geschriften verborg.

Wandel door traditionele dorpen, ontmoet de beminnelijke lokale bewoners en verbaas je over het schitterende handwerk. Klim naar de Phephelapas door bossen van dwergbamboe, rododendrons en pijnbomen. Volg de loop van de rivier omhoog naar het basiskamp van de Gangkhar Puensum. Deze 7570 m hoge berg is 's werelds hoogste nog nooit beklommen berg. Diverse pogingen om de reus te bedwingen zijn mislukt en sinds 2003 is bergsport hier verboden op grond van religieuze overtuigingen.

Flora en fauna floreren in deze omgeving waar respect heerst voor alles wat leeft. Er worden hier 600 vogelsoorten aangetroffen, waaronder tien bedreigde soorten. Men vindt er 160 verschillende zoogdiersoorten, waaronder de kleine panda, de Aziatische zwarte beer en de Bengaalse tijger. De takin, het nationale dier van Bhutan, kan je zien grazen in de bergweiden, waar ook enkele van 's lands opmerkelijke plantensoorten te vinden zijn. De tempels en vestingen, het natuurschoon en de alleraardigste mensen maken een trektocht door Bhutan's heilige valleien tot een fantastische ervaring.

WAT IS HET?
Vier onderling verbonden, hooggelegen valleien.

HOE KOM JE ER?
Vlieg naar Paro. Rijd naar Thimphu en verder naar Trongsa en Bumthang.

DE BESTE TIJD
Maart juni en september-november.

DICHTSTBIJZIJNDE STAD
Jakar.

MAG JE NIET MISSEN
De kleurrijke festivals die in de lente en de herfst plaatsvinden in de valleien. De Thanbitempel, gesticht in 1470. Thimphu, de hoofdstad van Bhutan.

WAT JE MOET WETEN
Bhutan (door de bevolking 'land van de donderdraak' genoemd) vereert de berg Gangkhar Puensum. Volgens de folklore is de berg de oorsprong van drie grote Bhutaanse rivieren: de Kuru, de Chamkhar en de Mangde. Toen ze voor het eerst opdoken, besloten de drie tot een race. Maar Chamkhar besloot rustig aan te doen en van het uitzicht te genieten. Vandaar dat de Trongsa- en Lhuntsevallei smal en steil zijn en de Bumthangvallei breed en dichtbegroeid is.

Het Taktsangklooster.

261

Het Barisan-gebergte op Sumatra

WAT IS HET?
Een rijk bebost berggebied, over de hele lengte van West-Sumatra.

HOE KOM JE ER?
Per vliegtuig of veerboot naar Medan, of per vliegtuig naar Padang, dan over de weg.

DE BESTE TIJD
Van mei tot september ten noorden van de evenaar, van maart tot augustus ten zuiden van de evenaar.

DICHTSTBIJGELEGEN STAD
Steden en dorpen liggen overal in de bergen en overal langs de kust.

MAG JE NIET MISSEN
Het Tobameer, Bukittinggi.

WAT JE MOET WETEN
De tsunami van 2004 beschadigde de noordwestkust van Sumatra, evenals de aardbeving van 2007.

Het Barisan-gebergte is een bergketen die vrijwel de hele lengte van de westkust van Sumatra beslaat, van Atjeh in het noorden tot Lampung in het zuiden. Het omvat drie nationale parken, gezamenlijk bekend als het tropisch regenwoud erfgoed van Sumatra, in 2004 door de Unesco op de werelderfgoedlijst gezet. Zo'n 70 miljoen jaar geleden, toen plaattektoniek de Himalaya deed oprijzen, werd langs de westkust van het eiland ook de Barisan naar boven gedrukt. Hier reiken de bergen vaak tot aan de kust, terwijl we meer oostwaarts langs de rug lagere heuvels, vlakten en moerassen vinden. Het terrein bestaat vooral uit zwaar beboste vulkanen, waarvan de meeste nog steeds actief. Hier is ook de hoogste vulkaan van Indonesië te vinden, de Kerinci van 3800 m.

Dit fabelachtige gebergte is rijk aan allerlei leefgebieden. Verscheidene grote rivieren en vele beken ontspringen hier, er zijn prachtige meren, zoals het Tobameer, het Kelimutu-kratermeer en het Gunung Tujuhmeer, het hoogste van Zuidoost-Azië, verbijsterende watervallen, hete bronnen, werkende fumarolen en uitgebreide grottencomplexen.

Bovenal beschermt de Barisan ruim 10.000 plantensoorten, ruim 200 zoogdieren, waarvan 22 Aziatisch en niet elders in Indonesië voorkomend, en 15 die alleen in Indonesië voorkomen. Hier leven ook bijna 600 vogelsoorten, waaronder 21 endemische. Dit is het leefgebied van orang-oetans en Aziatische olifanten, en vrijwel de laatste schuilplaats van de zeer zwaar bedreigde Sumatraanse tijger en de neushoorn.

Illegale houtkap, kaalslag voor landbouw en stroperij vormen de zwaarste bedreigingen voor het wild hier – ruim 6,5 miljoen ha bos is de afgelopen jaren verloren gegaan. Verlies van leefgebied betekent verlies van prooi voor grotere zoogdieren en verlies van vegetatie voor herbivoren als de neushoorns. De bescherming van de Unesco is van wezenlijk belang om het Barisan-gebergte voor de komende generaties te behouden.

Equatoriaal regenwoud in het Barisan-gebergte.

Links: Het kratermeer in de Kelimutu-vulkaan.

263

Het nationale park Komodo

WAT IS HET?
Een nationaal park, Unesco-werelderfgoed, een marien biosfeerreservaat.
HOE KOM JE ER?
Per vliegtuig naar Labuanbajo vanaf Bali, dan per boot.
DE BESTE TIJD
April tot oktober.
DICHTSTBIJGELEGEN STAD
Labuanbajo (35 km).
WAT JE MOET WETEN
Bezoekers wordt aangeraden geen rode kleding te dragen.

Het nationale park Komodo werd in 1980 in het leven geroepen om de oude, gelijknamige varanen te beschermen, en kwam in 1991 op de werelderfgoedlijst. De drie eilanden liggen te midden van koraalriffen, zeebergen, zeegrasbedden en mangroven die ruim 1000 vissoorten, 70 sponssoorten en 14 walvissoorten herbergen, naast dolfijnen, haaien, mantaroggen, dugongs en zeeschildpadden. Er groeien minstens 260 soorten koraal op de riffen. De eilanden worden in toenemende mate populair als duikgebied.

Het zijn echter de varanen die de meeste bezoekers naar deze kale vulkanen tussen de Kleine Sunda-eilanden van Indonesië trekken. Begeleide tochten brengen de toeristen naar plaatsen waar de varanen 's morgens of aan het eind van de middag actief zijn. In de hitte van de dag graven zij zich in in droge stroombeddingen om zich koel te houden.

Deze prehistorische roofdieren kunnen 3 m lang worden. Ondanks hun plomp lijkende poten kunnen zij net zo hard rennen als een hond en als ze de kans krijgen, eten ze net zo lief mens, dus als je op het mooie strand aan die zandige baaien staat, word je wel aangeraden te kijken of je hun sporen niet toevallig in het zand ziet. Ze kunnen ook zwemmen en zijn wel waargenomen als ze van eiland naar eiland trekken.

Volgende pagina's:
Rifbaarsjes zwemmen
tussen het koraal.

Een Komodovaraan,
's werelds grootste
hagedis, op zoek naar
een lekker hapje op het
eiland Komodo.

Het hart van Borneo

Dit is een van de nog maar twee plaatsen ter wereld waar neushoorn, orang-oetan en olifant samenleven, en waar ongeveer elk kwartaal een nieuwe soort wordt ontdekt – 360 zijn er de afgelopen tien jaar al gevonden. Aangenomen wordt dat het regenwoud nog nieuwe soorten herbergt en dat er een overvloed aan planten is met wellicht de sleutel tot ziekten als kanker en aids. De zoektocht naar deze botanische geheimen is niet gemakkelijk omdat het binnenland dichtbegroeid, grotendeels ontoegankelijk oerwoud is. Verscheidene diersoorten die hier leven zijn bedreigd, waaronder Maleisische beren, nevelpanters en Borneogibbons. Deze onvergelijkelijke biodiversiteit wordt nu beschermd doordat een verklaring is aangenomen waarbij het hart van Borneo is uitgeroepen tot natuurpark.

De drie regeringen over het hart van Borneo – Brunei, Indonesië en Maleisië – hebben beloofd het regenwoud te behouden en een netwerk van

beschermde gebieden in het leven te roepen. In februari 2007 werd de verklaring door de drie landen getekend en zij zullen het gebied duurzaam beheren om de inheemse soorten te beschermen en houtkap te voorkomen. Deze kap leidde tot de verwoesting van deze vitale leefgebieden. Gehoopt wordt dat de overeenkomst zal leiden tot de bescherming van de 220 soorten zoogdieren, 420 vogelsoorten, 100 amfibiesoorten, 394 soorten vissen en 15.000 plantensoorten in de streek. Een derde van alle planten hier komt nergens anders voor.

De inheemse stammen die hier nog leven, omvatten ruim 30 etnische groepen. Ze zijn afhankelijk van veertien van de twintig rivieren van Borneo, die door dit grote gebied stromen. Volgens oude tradities levend, hebben deze verschillende culturen, van Iban en Kajan tot Dajak, de bescherming van het regenwoud nodig om op hun unieke wijze te kunnen overleven.

Links: Het zonlicht speelt door de ochtendnevel boven het regenwoud, Borneo.

Orang oetans zijn een ernstig bedreigde diersoort en kunnen alleen nog in het wild gevonden worden in de regenwouden van Borneo en Sumatra.

MAG JE NIET MISSEN
Een trektocht door het dichte oerwoud langs de Bario Loop om het echte Borneo te ervaren.
WAT JE MOET WETEN
Wees voorbereid op bloedzuigers en op veel neerslag, waar je ook gaat.

269

Camiguin Island

Een vulkaaneiland.
HOE KOM JE ER?
Beperkt aantal overtochten
vanuit Cebu, per vliegtuig of
boot. Of vlieg naar Cagayan
de Oro, pak een bus naar
Balingoan en vaar naar het
eiland.
DE BESTE TIJD
Het hele jaar (het eiland
wordt zelden geteisterd
door tyfoons). April tot juni
is de beste tijd, november
tot januari de koelste.
MAG JE NIET MISSEN
Binangawan-watervallen
in Sagay – een reeks van
watervalletjes, die allemaal
in dezelfde poel uitkomen.
De verdronken begraafplaats
(duikuitrusting vereist)
– onder de zee-spiegel
verdwenen na de vulkaan-
uitbarsting in 1871, aangegeven door een groot kruis.
Prachtige elegante
voorouderlijke huizen over
het gehele eiland verspreid.
Oude kerken – Santo Rosa-
rio in Sagay, de ruïne van
de San Roque in Barangay
Bonbon en de Miracle
Church in Baylao, die vele
levens redde tijdens de
vulkaanuitbarsting.
Tangun Hotspring in Naasag
– een ongewone natuurlijke
strandpoel die heet is
tijdens eb, maar koel wordt
bij het opkomen van vloed.
WAT JE MOET WETEN
Als dit je wat lijkt, wees
voorzichtig met boeken – er
is nog een Camiguin Island
op de Filippijnen, dat deel
uitmaakt van de Babuyan
Islands ten noorden van
Luzon.

De op hun onafhankelijkheid gestelde bewoners van
Camiguin hebben zich altijd sterk gemaakt om hun
hoekje te verdedigen – zonder succes. De Spanjaarden
stichtten er begin 17e eeuw een nederzetting, de
Amerikanen vielen er in 1901 binnen en bewezen daarbij
dat *bullets* beter zijn dan *bolos* (kapmessen) en de
Japanners onderdrukten tijdens de Tweede
Wereldoorlog meedogenloos de guerrilla. Uiteindelijk
werd het in 1946 met de Filippijnen bevrijd.

Het peervormige eiland is niet groot – 230 km^2 – en
heeft een vulkanische oorsprong. Zijn bijnaam is: 'uit vuur
geboren eiland'. Er staan hoge vulkanen naast talrijke lagere
koepels en kegels. De Hibok-Hibok, de hoogste vulkaan, is
nog actief; de laatste uitbarsting was in 1953. Op de
hellingen bevinden zich warmwaterbronnen en de krater is
gevuld met regenwater. De Hibok-Hibok is een populaire
wandelbestemming; er is wel een vergunning vereist.

Het is een eiland vol contrasten, met traditionele kustplaatsjes, kokospalmplantages, dichte wouden, warm- en koudwaterbronnen, watervallen, een adembenemend vulkanisch landschap, een rijk zeeleven en ongerepte stranden. Camiguin bezit één van de mooiste stranden van de wereld, White Island Beach. Een witte zandstrook in de turquoise Boholzee, bereikbaar per boot, met prachtig uitzicht op de Vulcan en de Hibok-Hibok.

Ondanks inspanningen alleen het ecotoerisme aan te moedigen, blijkt dit in de praktijk niet gemakkelijk. De onlangs op Camiguin ontdekte hangende papegaai – een mooie vogel met rood, groen en blauw die alleen hier voorkomt – wordt bedreigd doordat zijn habitat sterk achteruitgaat ten gevolge van toenemende economische activiteiten en toerisme. De rust van het platteland en de rustige manier van leven die dit betoverende eiland zo aantrekkelijk maken, worden niet geholpen door het op te nemen in de 'top 25 van toeristische bestemmingen' op de Filippijnen.

De vulkaan de Hibok-Hibok torent boven het strand uit.

Ang Thong-archipel

Deze archipel van 42 onbewoonde eilanden ligt in de azuurblauwe Golf van Thailand op ongeveer 30 km van Ko Samui en is beroemd om zijn natuurschoon. De eilanden zijn aangewezen als nationaal zeepark om ze zo te beschermen tegen projectontwikkelaars en excessief toerisme, waardoor ze een plezierige en ontspannende bestemming zijn. Je kunt ze het beste per boot verkennen, omdat de meeste van de eilanden niet ver van elkaar liggen. Elk eiland is anders, maar ze worden alle gekenmerkt door kalksteenrotsen, tropische bossen, grotten en verborgen lagunes, maagdelijk witte zandstranden, koraalriffen en een azuurblauwe zee.

Ko Mae Ko ('moedereiland') moet je gezien hebben. Het smaragd-groene meer midden op het eiland wordt aan alle kanten omringd door kalksteen-kliffen en is door een ondergrondse tunnel verbonden met de zee. Je moet flink klimmen om het meer te kunnen zien, maar het is de moeite waard als je eenmaal neerkijkt op het verpletterend mooie water en beloond wordt met prachtige vergezichten over het hele park.

WAT IS HET?
42 prachtige, onbewoonde eilanden.
DICHTSTBIJZIJNDE STAD
Nathon, vertrekplaats van de veerboot.
HOE KOM JE ER?
Met de boot vanaf Ko Samui.

Andere populaire eilanden zijn Ko Sam Sao ('driepooteiland') met zijn grote koraalrif en Wua Talap ('eiland van de slapende koe') waarvan het hoogste punt schitterend uitzicht biedt. Het hoofdkwartier van het nationale park is er gevestigd en er is bezoekersaccommodatie in bungalowstijl. Op veel van de eilanden zijn grotten met intrigerende rotsformaties. De veelal lege zandstranden worden omringd door koraalrif en het warme, ondiepe water is ideaal om te zwemmen. Andere populaire activiteiten zijn kajakken op zee en snorkelen bij het koraalrif.

DE BESTE TIJD
December tot februari. Augustus en september.
MAG JE NIET MISSEN
Ko Pha-Ngan en Ko Tao zijn twee van de mooiste eilanden. Maak een kajaktocht op zee of ga snorkelen bij het koraalrif. Het zoutwatermeer op Ko Mae Ko – het is de wandeling omhoog zeker waard om het meer te zien. Het uitzicht vanaf het hoogste punt van Wua Talap.
WAT JE MOET WETEN
De toegang tot het nationale zeepark is beperkt. Enkele bootverhuurbedrijven op Ko Samui hebben vergunning boten te verhuren om de eilanden te bezoeken.

Links: Een maagdelijk wit zandstrand in het nationale zeepark Ang Thong.

Het nationale zeepark Ang Thong.

Koraalriffen waaronder het Oog van de Malediven

WAT IS HET?
Een keten juweelachtige koraaleilanden, waarvan de meeste helemaal aan toerisme zijn gewijd, met fantastische mogelijkheden om te duiken en te snorkelen.

HOE KOM JE ER?
Per vliegtuig naar Malé en dan per boot naar de andere eilanden.

DE BESTE TIJD
Het hele jaar, december tot april regent het het minst.

DICHTSTBIJGELEGEN STAD
Malé is de hoofdstad op het gelijknamige eiland.

MAG JE NIET MISSEN
Het spotten van walvis en dolfijn.

WAT JE MOET WETEN
Dit is geen goedkope optie voor een vakantie. Toerisme is zozeer de hoofdbron van inkomsten hier dat alle bagage onder röntgen wordt bekeken bij aankomst, eventuele alcohol die wordt ontdekt wordt geconfisqueerd en pas bij vertrek weer teruggegeven. Aan toeristen wordt wel gewoon alcohol verkocht.

Volgende pagina's: Een school fuseliers in de Malediven.

Geheel rechts: Een keizersvis in Noord-Ari Atol.

Malé Atol in de Malediven.

De Malediven liggen 480 km ten zuidwesten van Kaap Comorin, aan de zuidpunt van India. Zij bestaan uit 26 grotere atollen en 1190 eilanden, meten 648 km van noord tot zuid en 130 km van oost naar west. Slechts 200 van de eilanden zijn bewoond en van deze zijn er 88 een exclusief vakantieoord.

De geomorfologie van de Malediven is niet alledaags. Een atol is een koraalformatie rond een cirkelvormige lagune, maar die lagunen, waarvan er veel heel groot zijn, zijn zelf weer begroeid met andere, kleinere ringvormige riffen, die ook elk weer een eigen zandige lagune hebben. Deze worden plaatselijk 'faros' genoemd en op Malé staat zo'n formatie bekend als het Oog van de Malediven. Natuurlijke kanalen die de vrije passage van vis en water tussen de lagunen en de open zee mogelijk maken, doorsnijden elk rif.

De eilanden bestaan uit koraalzand en zijn heel

laag, gemiddeld niet meer dan 2 m boven de zeespiegel, met vegetatie die vooral bestaat uit kokospalmen en mangrove. Kijk echter ook eens onder het oppervlak van die blauwgroene zee en je vindt een prachtige, verbijsterende koraaltuin vol veelkleurige vissen die eerder nieuwsgierig dan bang zijn voor de mens. Duiken en snorkelen is de hoofdattractie hier en de exclusiviteit van vele vakantieoorden, waar vooral de rijken aanleggen.

Op de langere termijn worden de Maldiven bedreigd, want door het broeikaseffect wordt het koraal al aangetast, dat slechts kan leven bij watertemperaturen van 24 tot 27 °C. Natuurverschijnselen als El Niño en La Niña hebben ernstige verbleking van sommige formaties tot gevolg gehad. Ook het zeeniveau stijgt en hoewel er aan preventie wordt gedaan, ziet het ernaar uit dat deze vrij lage koraaleilanden in een niet al te verre toekomst onder het zeeoppervlak zullen verdwijnen.

AUSTRALAZIË & OCEANIË

De Twaalf Apostelen

WAT IS HET?
Een groep staande rotsen net buiten de kust van Victoria.
HOE KOM JE ER?
Via de Great Ocean Road.
DE BESTE TIJD
Van lente tot herfst.
DICHTSTBIJGELEGEN STAD
Port Campbell (7 km).

Aan de kust van het zuidelijk deel van Victoria staat in zee een spectaculaire groep rotsen van kalksteen die tot in de jaren '50 bekendstond als 'de zeug en haar biggen'. De wind giert eromheen en de golven van de oceaan beuken ertegen en samen vreten ze de zachte kalksteen weg. Deze rotsklompen zijn dan ook overblijfselen van land dat in de loop van de tijd in zee is verdwenen. Zelf worden ze ook bedreigd: in de winter van 2005 zakte een van de apostelen binnen een paar seconden in zee weg. De kust kan hier 70 m hoog zijn en de hoogste apostel is ongeveer 45 m. Vanaf de rotskust vormen ze, met de ertegen uiteenspattende golven, een schitterend gezicht. De rotsen maken deel uit van het Twelve Apostles Marine National Park, waarin gebieden zijn waar bezoekers, als wind en golven dat toelaten, kunnen zwemmen, surfen, kajakvaren, snorkelen en duiken. Je kunt duiken naar het wrak van de Lorc Ard, maar ook naar de onderzeese ravijnen die bekend staan als The Arches en die een spectaculaire aanblik bieden van met zeewier overdekte wanden, zeevarens, kantachtige koraalformaties en zeemossen. Soms spelen er pelsrobben die je door de tunnels en de onderzeese bogen kunt zien flitsen.

Dit is terecht een van de drie populairste natuurgebieden van Australië.

De spectaculaire Twaalf Apostelen bij zonsondergang.

De natte landen van Queensland

In de jaren '80 woedde een verbeten strijd tussen enerzijds milieubeschermers en de federale regering en anderzijds de houthandel en de staatsregering. Uiteindelijk werd een 450 km lange strook van het kustgebied in het noorden van Queensland tussen Townsville en Cooktown opgenomen op de Werelderfgoedlijst van de Unesco, waardoor in dat gebied niet meer gekapt mocht worden. Het is nu een unieke omgeving met planten van de families die ook voorkwamen op het enorme oercontinent Gondwanaland. Maar niet alleen als levende reliek van de evolutie is het belangrijk; zijn ruige pieken, schitterende zandstranden, angstwekkende ravijnen, vochtige wouden en Australië's hoogste enkelvoudige waterval, de

WAT IS HET?
Een weids gebied met een tropische leefwereld, voorkomend op de Werelderfgoedlijst van de Unesco.
HOE KOM JE ER?
Door de lucht tot Cairns, verder over de weg.
DE BESTE TIJD
Van april tot november. In december tot maart is het te heet en te vochtig en zijn de wegen vaak onbegaanbaar.

Links:Wallaman Falls.

Waaierpalmen in het Daintree regenwoud.

283

DICHTSTBIJGELEGEN STAD
Cairns.
MAG JE NIET MISSEN
Een duik in de watervalpoel in Mossman Gorge.
WAT JE MOET WETEN
Een afweermiddel tegen muggen is in de vochtige tropen altijd noodzakelijk; kwallen kunnen in de zeer hete maanden in zee een gevaar betekenen; vraag voordat je in een rivier gaat zwemmen de lokale bevolking of het water vrij van krokodillen is.

Newell Beach.

Wallaman Falls bij Trebonne, maken het ook tot een bijzonder mooi gebied.

De bossen tussen de kust en de Atherton Tablelands met hun droge eucalyptushabitat, omvatten eucalyptus-, banksia- en mirtebomen (*Melaleuca*). Rond de rivieren bevinden zich moerassen, terwijl mangrovebossen de kust beschermen. Mossman Gorge bij het gelijknamige stadje biedt spectaculaire uitzichten en heerlijke poelen om in te zwemmen.

In dit beschermde, ongerepte gebied wemelt het van wild, van de kasuaris tot de drietenige kangoeroe en van de gouden prieelvogel tot de grote suikereekhoorn en de riviermondingkrokodil. De vier nationale parken vormen een paradijselijk overblijfsel van een habitat die ooit een groot deel van Australië besloeg.

Fraser Island

Het zich 123 km langs de kust van Queensland uitstrekkende Fraser Island is beslist een van de mooiste
plekjes op aarde. Omdat het bijna geheel uit zand
bestaat, is het uniek. Er zijn duinen die wel 240 m hoog
zijn. In het lage land staan de heidevelden in voorjaar
en zomer vol met wilde bloemen en verder naar het
centrum toe staan zeer oude regenwouden rondom
meer dan 100 zoetwatermeren of langs kristalheldere
beken. Tot de allermooiste regionen van het eiland
behoren de drassige gronden van de Great Sandy Strait
waar *doejoengs* (Indische zeekoeien) en zeeschildpadden worden waargenomen en Hervey Bay, waar je
tijdens het trekseizoen meer dan 1500 bultruggen

WAT IS HET?
Het grootste uit zand
bestaande eiland ter
wereld.
HOE KOM JE ER?
Over zee vanaf het
vasteland of per vliegtuig
vanaf Hervey Bay.
DE BESTE TIJD
In de zomer of in augustus-
september om de walvissen
te zien.
**DICHTSTBIJGELEGEN
STAD**
Hervey Bay (15 km).

*Fraser Island bestaat
bijna geheel uit zand.*

MAG JE NIET MISSEN
Lake Wabby.
WAT JE MOET WETEN
Het zwemmen in zee wordt
afgeraden in verband
met stroming en mogelijk
haaiengevaar.

langs kunt zien zwemmen. Landinwaarts zijn de meren prachtig, met name Lake Wabby en de meren rondom McKenzie. Het noordelijke deel van het eiland is bestemd om nationaal park te worden. Wanneer je vanaf de Pinnacles langs het oostelijke strand in noordelijke richting rijdt, zul je de zich over 25 km uitstrekkende Cathedrals passeren, rotsen van gekleurd zand. Later kom je dan bij Indian Head, een fantastische plek om dolfijnen, haaien en walvissen te observeren.

Van de andere dieren die te zien zijn, noemen we de
dingo's die hier van een zuiverder ras zijn dan elders (voer
ze niet – ze kunnen hun angst voor de mens verliezen;
aanvallen met dodelijke afloop zijn voorgekomen), karetschildpadden, manta's, buidelratten, vleermuizen, suiker-
eekhoorns, wallaby's, mierenegels en vele soorten reptielen. Een opmerkelijke vogel die hier voorkomt is de grote
geelkuifkaketoe en wel omdat hij vreselijk veel kabaal
maakt. Veel kleuriger is daarentegen de regenbooglori.

*Volgende pagina's:
Fraser Island vanuit
de lucht gezien.*

Lake McKenzie.

De Bungle Bungles

De aboriginals noemen het 'purnululu' maar wij kennen het als de Bungle Bungles, een unieke keten van oranje, zwarte en witte rotsformaties tot 400 m hoogte. Het zandsteen waaruit ze bestaan is hier ongeveer 350 miljoen jaar geleden afgezet, in de laatste 2 miljoen jaar omhoog gekomen en vervolgens geërodeerd tot bijenkorfachtige koepels. Vanaf de parkeerplaats bij Piccaninny Creek is het maar een klein eindje lopen naar de Cathedral Gorge, een reusachtig, natuurlijk amfitheater waar de menselijke stem rondgedragen wordt. Om een wandeling door de gehele Piccaninny Gorge te maken, moet je een nacht kamperen en hier en daar zal er geklauterd moeten worden, maar het uitzicht op rotsen, ronde toppen, afgronden en de Black Rock Pool maakt die moeite meer dan waard. In het noorden van het park, voorbij de koepelrotsen, zijn twee kloven, de Mini Palms Gorge en de Echidna Chasm. Het pad door de eerste voert je 150 m de hoogte in naar een

*Zonsopkomst in Purnululu
National Park.*

platform dat uitzicht biedt op
de vallei in de diepte met zijn
palmen, waarvan het
weelderige groen scherp
contrasteert met het rood van
de rotsen. Echidna Chasm is
een smalle kloof met hoog
oprijzende rotspunten die
glimmen in het zonlicht terwijl
je op de bodem vrijwel in het
donker staat. Het kost
weliswaar enige inspanning
om deze afgelegen plek te
bereiken, maar je zult je dit
unieke landschap nog lang
blijven herinneren.

*Een toerist in
Cathedral Gorge.*

291

Lake Matheson

WAT IS HET?
Een gletsjermeer dat goed is voor enkele van de mooiste panorama's die je ooit zult zien.

HOE KOM JE ER?
Over de weg, dan te voet. Het meer bevindt zich 6 km vanaf het buurtschap Fox Glacier langs de Cook Flat Road en de wandeling rond het meer neemt ongeveer 70 minuten in beslag.

DE BESTE TIJD
Voor- tot najaar – met goed weer.

DICHTSTBIJGELEGEN STAD
Buurtschap Fox Glacier/ Weheka (5 km).

MAG JE NIET MISSEN
Zonsopkomst en zonsondergang.

Ongeveer 14.000 jaar geleden, toen de laatste ijstijd op zijn hoogtepunt was, sleet de gletsjer van Mount Fox dit meer uit. Lake Matheson behoort nu tot de bekendste gezichten van Nieuw-Zeeland, de pieken van de Aoraki/ Mount Cook en Mount Tasman spiegelend in zijn stille water dankzij het regenwoud aan zijn oevers dat het meer in de luwte houdt. Omdat de bedding een grote hoeveelheid door de gletsjer achtergelaten sediment bevat, is het water donker van kleur, wat zijn spiegelende eigenschappen nog vergroot.

Een wandeling van drie kwartier brengt je van het dorp Fox Glacier via het prachtige, semiregenwoud

naar een steiger op een plaats waar je het mooist denkbare uitzicht hebt. Maar ook vanaf het pad langs het meer kun je tussen de bomen door al een indruk krijgen van de weerspiegeling.

Ga er vooral kijken bij zonsopkomst of -ondergang. Bij het aanbreken van de dageraad verschijnt boven de met sneeuw bedekte bergtoppen een mysterieus blauw licht dat afdaalt tot in het dal en zich openbaart als een mist die geleidelijk aan oplost wanneer de weerspiegeling op het water zich steeds helderder aftekent. Wanneer daarentegen de zon ondergaat nemen de bergen een oranje waas aan dat langs hun flanken omhoog geduwd wordt door de steeds dieper wordende schaduwen, tot de zon tenslotte achter de horizon verdwenen is.

Lake Matheson en de bergtoppen van Mount Tasman en Aoraki.

Whakarewarewa's thermische vallei en modderpoelen

WAT IS HET?
Het meest spectaculaire deel van het onwerkelijke landschap in Rotorua.

HOE KOM JE ER?
Over de weg of per trein naar Rotorua city.

DE BESTE TIJD
Het hele jaar.

DICHTSTBIJGELEGEN STAD
Rotorua city.

WAT JE MOET WETEN
Je moet op de aangegeven paden blijven.

Een van de actiefste thermische plekken in het wonderlijke landschap van Rotorua is de Whakarewarewa Thermal Valley, waar zich een allegaartje van enorme thermische modderpoelen, fumarolen, stomend hete vijvers en, bij Geyser Flat, geisers bevindt.

Optreden en gedrag van modderpoelen is afhankelijk van de relatieve verhouding van modder en water. In dit dal is de modder behoorlijk dik zodat de opeenvolgende modderbeluitbarstingen concentrische ringen veroorzaken die maar heel langzaam verdwijnen en een tijdelijk landschap van onaards lijkende randen achterlaten.

*Whakarewarewa
Thermal Valley.*

Er zijn naar schatting 500 thermische vijvers in de vallei waarvan vele alkalische, hete bronnen zijn. De randen die ze hebben gevormd, dragen een korst van kiezelaarde en over hun blauwe water verspreidt zich stoom, wat een spookachtige sfeer creëert..

De Maori's die al sinds het begin van de 14e eeuw in deze streek leven, menen dat hier de vuurgodinnen Te Pupu en Te Hoata voor het eerst aan de oppervlakte kwamen en dat de geisers, de modderpoelen en de hete bronnen worden veroorzaakt door hun adem.

Omwonenden zeggen dat ieder van deze thermische fenomenen een eigen persoonlijkheid bezit en dat ze het humeur van elk kunnen beoordelen aan de hand van het geluid dat ze maken. Het landschap is onderhevig aan voortdurende veranderingen, wat het nodig maakt dat iedere dag wordt gecontroleerd of nieuwe bronnen of scheuren in de aarde ontstaan.

Volgende pagina's: Pohutu en Prince of Wales geisers.

Stewart Island

*De ruige kust van
Stewart Island.*

Volgens een Maori-legende was Noordeiland ooit de
grote vis en Zuideiland de kano – als dat klopt, dan was
Stewart Island het anker ervan. Dit eiland pal ten
zuiden van Invercargill is in grootte het derde eiland
van Nieuw-Zeeland en wordt door de Maori Rakiura
('land van de oplichtende hemel') genoemd. Als je naar
een karmozijnrode zon boven de horizon of naar de
aurora australis (het zuiderlicht) kijkt, voel je dat je
zoektocht naar het paradijs voorbij is.

In de rustige en niet verpeste wildernis weerklinken
vogelgeluiden. Parkieten, toei's, klokvogels en Stewart
Island-roodborstjes fladderen in het rond en zingen dat
het een lust is. Vijfentachtig procent van het eiland is
beschermd natuurgebied en het is een paradijs voor
wandelaars en vogelaars. Voor de kust zijn albatrossen,
blauwe pinguïns en stormvogels te zien. De kust bestaat
uit inhammen, geschikt voor een verkwikkende duik.

*Een toei op Stewart
Island.*

Als je het nationale symbool van Nieuw Zeeland wilt
zien, de kiwi, zit je op Stewart Island goed. De vogels
zijn groot en komen rond de stranden tamelijk veel
voor, zelfs overdag. Ze zijn zo bijziend en langzaam dat
ze zelfs wel eens tegen een badgast opbotsen.

De enige echte plaats op het eiland is Oban. Dit
lome vissersdorpje aan de Halfmoon Bay heeft genoeg
winkels en cafés om de ontspannen reiziger tevreden
te stellen. Ondanks de 7000 km kustlijn heeft het
eiland slechts 20 km verharde weg. Schud alle
wereldse zorgen van je af en ontspan je in de stijl van
Stewart Island.

Manu'a-eilanden

Behalve het hoofdeiland Tutuila, bestaat Amerikaans Samoa uit het Rose-atol, de Swains-eilanden en de Manu'a-eilanden. De laatste bestaan uit een groepje aan elkaar grenzende hoge vulkanische eilanden – Ta'u, Ofu en Olosega – 110 km ten oosten van Tutuila.

Ta'u is het grootste van de drie en het meest ooste-lijke vulkanische eiland van Samoa. De berg Lata is met 988 m de hoogste top van Amerikaans Samoa. Verder heeft het een luchthaven bij Fiti'uta en een haven bij Faleasao. De dorpjes aan de noordkust zijn met elkaar verbonden door een weg. Het zuidelijk deel van het eiland en de koraalriffen maken deel uit van het natio-nale park van Amerikaans Samoa, waartoe ook de heilige plaats Saua behoort. Ongebruikelijk is dat het nationale park geen eigendom is van de Amerikaanse regering, maar van de eilanders gehuurd wordt. In het park is niets voor toeristen geregeld, maar in de slaperige dorpjes is wel onderdak te vinden.

De nabijgelegen eilanden Ofu en Olosega zijn een soort Siamese tweeling. Het zijn zaagtandvormige overblijfselen van een vulkaan die van elkaar gescheiden zijn door de smalle Straat van Asaga, maar in werkelijkheid met elkaar verbonden zijn door een koraalrif. Tot voor kort was het mogelijk bij eb van het ene eiland naar het andere te waden, maar nu is er een brug. Ofu heeft een klein vliegveld en een haventje en er is één dorpje – dat ook Ofu heet – en een lodge voor toeristen. Het nationale park reikt tot dit prachtige eiland en beschermt de onaangetaste zuidkust en het regenwoud. Het park omvat ook een deel van Olosega, waar alle mensen wonen in het dorp Olosega sinds het andere dorp (Sili) verwoest werd door een orkaan.

Er zijn veel plekken die toeristen proberen wijs te maken dat je daar in het echte Zuidzeegevoel onder-gedompeld wordt, zonder invloed van commercie – maar deze eilanden houden je niet voor de gek.

South Ofu Beach.

Alamy Aditya 'Dicky' Singh 254; AfriPics.com 36, 38-9; Barry Mason 272; Bluered/CuboImages 231; Carlotta 270-1; Clearview 198-9; Dave & Sigrun Tollerton 284; David Hosking 259; David Robertson 196-7; David South 296-7; Dieter Ziegler/F1online 154-5; Emil Enchev 207; F1online 159; Francis Tokeley/Robert Harding World Imagery 262; G P Bowater 176-7; Galen Rowell/Mountain Light 218; Gavin Hellier 239; H Lansdown 299; Images & Stories 148-9; Jaubert Images 180; Jean du Boisberranger/Hemis 230; John Sylvester 49; John-Patrick Morarescu/Westend61 158; Justine Pickett/Papilio 255; Karl Lehmann/Lonely Planet Images 33; Kevin Schafer 256-7, 258; Last Refuge/Robert Harding World Imagery 188; Louise Murray 219; Maria Grazia Casella 283; Martin Siepmann/Westend61 222-3; Michael Krabs/imagebroker 240-1; Navé Orgad 7 right, 273; niceartphoto 175; Pavel Filatov 2, 212, 213; Peter Adams Photography 150-1; Peter de Clercq 211; Peter Hendrie/Lonely Planet Images 301; Philippe Body/Hemis 145; Photoshot 276-7; Radius Images 282; Reinhard Dirscherl 232, 275; RIA Novosti 215; Stephen Spraggon 186-7; Steve Bloom Images 30; Tom Mackie 173, 181, 183, 200-1; Wildlife 138-9, 201

Corbis 165, 285; Alison Wright/National Geographic Society 110-1; Andy Rouse 26; Atlantide Phototravel 163, 233; Barry Brown/Visuals Unlimited 98-9; Bernd Kohlhas 220-1; Blaine Harrington III 242-3, 260; Burden, Russell/Index Stock 60-1; Carl & Ann Purcell 75; Christian Kober/Robert Harding World Imagery 248-9, 292-3; Creasource 146-7; Crista Jeremiason/Zuma Press 62; Danny Lehman 78-9; David Muench 63; Dieter Mendzigall/Sodapix 204-5; DLILLC 108, 109; epa/Alejandro Bolivar 86; Erich Kuchling/Westend 61 166; Farrell Grehan 72-3; Fiona Rogers 14-15; Francesc Muntada 225, 226; Franck Guiziou/Hemis 178-9; Frank Lukasseck 136-7; Frank Siteman/Science Faction 185; Frans Lanting 8-9, 12, 13, 25, 29, 119, 120-1, 251, 268, 278-9, 298; Fridmar Damm 236-7; Galen Rowell 116; Gavin Hellier/Robert Harding World Imagery 16-17; George H H Huey 56-7, 66-7; George Steinmetz 20; Gregory Gerault/Nordicphotos 141; Guenter Rossenbach 162; Hans Strand 7 left, 142, 152; Image Source 135, 157, 294-5; Jane Sweeney/JAI 105, 106-7; Joe McDonald 265; Jon Arnold/JAI 172; Karl Kinne 55; Keren Su 83; Kevin Schafer 112, 114; Li Xiaoguo/Xinhua Press 250; Marco Cristofori 235; Marco Simoni/Robert Harding World Imagery 127; Mark Karrass 52; Martin Harvey 6 left, 21, 22-3; Maurizio Lanini 167; Micah Wright/First Light 286-7; Michael & Patricia Fogden 84-5, 88-9; Michael S Yamashita 216-7; Momatiuk–Eastcott 42-3, 133; moodboard/Yevgen Timashov 244; Nick Rains 291; Nigel Hicks/Purestock/SuperStock 182; Nik Wheeler 96-7; Ocean 18-19, 46-7, 100-1, 170-1, 192-3; Pablo Corral Vega 128; Patrick Escudero/Hemis 95; Peter Adams 190; Peter Essick/Aurora Photos 288-9; Radius Images 53, 76, 77, 202-3, 281; Rene Mattes/Hemis 208; Ron Watts 6 right, 50-51; Russ Heinl/All Canada Photos 45; Sakis Papadopoulos/Robert Harding World Imagery 274-5; Sergio Pitamitz/Robert Harding World Imagery 227; Seth Resnick/Science Faction 269; Shubroto Chattopadhyay 69; Specialist Stock 80-1; Staffan Widstrand 115; Stephen Frink 91, 266-7; Stuart Forster/Robert Harding World Imagery 252-3; Theo Allofs 123, 124-5, 130-1, 169, 290-1; Third Eye Images 54; Tim Graham 71; Tim Hauf/Visuals Unlimited 35; Tony Arruza 102-3; W Cody 59; Walter Geiersperger 160-1; Wayne Lawler/Ecoscene 263; Yann Arthus-Bertrand 92-3, 228-9; Yevgen Timashov/Beyond 245, 246-7

Getty Images Flickr/An underwater view in Indonesia 10

Ron Callow 65, 70, 191, 194

Polly Manguel 64

Thinkstock iStockphoto 41